Barcelona

Barco

elona

texto text text **Joan Barril** fotografía photography fotografien **Pere Vivas**

El palimpsesto de Barcelona

Joan Barril

Explicar una ciudad a quienes nunca la han visto es tan difícil como definir el mar a los que siempre han vivido tierra adentro. Más todavía cuando el mar es inmutable mientras que, en cambio, las ciudades nunca están contentas con aquello que son y quieren aspirar a más. Una ciudad europea vista desde el aire se parece al dibujo del tronco de un árbol cortado. En el interior está el origen de la ciudad y, a su alrededor, en figuras concéntricas se van añadiendo otros perímetros cada vez más amplios. Se puede describir una ciudad por su urbanismo, por sus vistas aéreas y lejanas. Pero será una descripción insuficiente, una simple concatenación de mapas de diferentes años que explicarán su crecimiento en hectáreas. El problema es que las hectáreas no tienen alma. Y la gracia de las ciudades radica precisamente en el factor humano y en su huella. Y ésta no se mide por hectáreas.

Ha cambiado Barcelona como ha cambiado Nueva York y como cambia incluso Venecia. En algunos casos los cambios de las ciudades se notan porque éstas se hacen cada vez más y más grandes. En otros casos los cambios son productos del esponjamiento. También cambian por el hundimiento. O por las reconstrucciones. Las ciudades siempre son mejorables a ojos de los ciudadanos que las habitan. Toda ciudad, desde el momento en que se descubre como tal, pretende ser una ciudad completa. Pero éste es un deseo que jamás puede alcanzarse. Barcelona, por ejemplo, podría acercarse cada vez más a la idea de obra completa. Los límites de la ciudad no los ha puesto el hombre sino la naturaleza: un mar a veces amable, a veces destructor es un límite insalvable. Dos ríos, uno al norte y otro al sur, donde las zonas industriales se han apropiado de los huertos y los campos, ejercen de centinelas. Una sierra de poca altura pero de profundo significado estimula el buen criterio de no invadirla con más edificios. Barcelona es un gran anfiteatro al mar. Pero tiene la virtud de ser casi una ciudad completa. El crecimiento es una palabra que, en Barcelona, debe leerse de una forma diferente, fuera de magnitudes tangibles. Tenemos una tendencia universal a creer que el progreso equivale a crecimiento, cuando en realidad el progreso equivale al equilibrio. Las megalópolis del mundo presumen de ser las más pobladas, pero esto no comporta un mayor bienestar de la gente ni de sus visitantes. Crecer no es ya una acumulación de datos: avenidas construidas, calles asfaltadas, número de habitantes, vehículos por los viales. Crecer es una manera de sentirse lleno y de vivir con la sensación de que cada día aprendemos una cosa más. Éste es el mérito de la Barcelona de principios del siglo XXI. Los barceloneses, tanto los de toda la vida como los de un único día, todavía nos sorprendemos de una ciudad que es capaz de mantener las piedras bien puestas y que hace que los balcones y las calles luzcan colores muy diferentes. Eso es el crecimiento cualitativo. Aquel envidiable estado del espíritu en el que estamos convencidos de que no perdemos nada y de que, en cambio, lo estamos ganando todo.

Tal vez Barcelona ya no puede definirse como un conjunto de calles que van desde las estrecheces góticas a los ángulos rectos del Eixample, de los primitivos urbanismos rurales a las grandes avenidas del sol y del mar. La ciudad está formada por gente que pasa y por rincones que conservan los sentimientos de cada uno, por balcones que enmarcan la vida y por vidas que suben a los balcones, por nuevas perspectivas debidas al derribo de casas viejas y por esta valla amarilla que marca la frontera entre la ciudad del presente y del futuro. La vitalidad de la ciudad depende de esta valla amarilla que separa el trabajo y la mirada. A un lado las máquinas remueven la tierra rojiza del subsuelo. Al otro lado de la valla los futuros usuarios controlan que el trabajo se haga bien.

La valla amarilla de las obras fue el verdadero símbolo de la ciudad a finales del XX. El hormigón armado era entonces una materia preciosa digna de adoración. Se ganaron espacios grandes donde la silueta humana era la medida de las cosas profundas y donde la gente se sentía más guapa de lo que en realidad era. Lo que entonces se llamaba construir ahora ha adoptado otros verbos: remodelar, adaptar, esponjar, rehabilitar. La ciudad empieza a construirse en estratos, uno sobre otro. Es la ciudad palimpsesto, aquellos documentos antiguos que delataban escrituras bajo la escritura. Las calles donde antes se alzaban las chimeneas del vapor ahora acogen el silencio vibrante de aquello que ampulosamente se ha llamado «nuevas tecnologías» sin querer admitir que el único destino de todo aquello que es nuevo consiste en convertirse en viejo.

Éste es uno de los grandes méritos de la Barcelona de principios del siglo XXI. La ciudad rechaza la novedad por la novedad y retorna a las prácticas de convivencia de toda la vida. A pesar de que los apocalípticos consideran que la gente ya no se mueve de casa, hay pocas ciudades que desplieguen una vida en la calle con todos los colores y todas las músicas como ésta. Hay dos grandes invasiones que están adaptando la ciudad a los nuevos tiempos. En primer lugar la conversión de Barcelona en una ciudad imprescindible del mapa turístico europeo. En segundo lugar todas las inmigraciones que han encontrado en el desconcierto de los diferentes gobiernos españoles un buen ambiente para crecer y multiplicarse. El pragmatismo barcelonés es el que le ha permitido hacer una vez más de la necesidad virtud y este fenómeno, que en otras ciudades hubiera sido el detonante de alguna tragedia social, se está convirtiendo en Barcelona –y toquemos madera– en el crisol de un nuevo recambio en la gestión de la ciudad. El día, puede que no tan lejano, en el que el barcelonés de pura cepa se encuentre con que el policía municipal que le pone la multa es alguien que ha nacido en Ecuador o que el delegado de la entidad bancaria que le da un crédito es un economista llamado Hassan, la ciudad se habrá refundado una vez más.

Me viene a la memoria una frase que nace en los primeros momentos de mi infancia. Mi abuela me llevaba a veces a pasear por la Diagonal, más allá de Francesc Macià. Ella había vivido en una especie de masía entre campos. En realidad mi abuela me utilizaba para asistir al espectáculo de la urbanización. Cuando volvíamos a casa mi abuela pronunciaba la frase definitiva: «¡Cómo ha cambiado todo. No lo conocerías!» Es esta sorpresa permanente la que hace que Barcelona sea en ella misma joya y aparador, texto y escenario, actriz y público. El cambio permanente de la ciudad viene del cielo y del subsuelo. Se recuperan perspectivas y se crean otras nuevas. Y cuando decimos que no conoceríamos la ciudad estamos admitiendo que quizás los ciudadanos debemos hacer un fértil esfuerzo para reconocernos.

Y una última cuestión. Estamos hablando de Barcelona y lo estamos haciendo en femenino. Una campaña de rehabilitación de fachadas promovida por el Ayuntamiento en los años 90 decía en su lema: «Barcelona ponte guapa». Se habla del «viejo Madrid», así en masculino. Pero Barcelona es mujer, es madre, es hermana, es amiga, es femenina y acogedora, heroica cuando ha convenido y triste cuando ha querido entristecer. A la llamada de Barcelona la gente no falla. Tanto da que sea una convocatoria pacifista o un espectáculo de samba brasileña. Las calles están para llenarse de gente. Y la causa última de este éxito de convocatoria es reafirmarse como miembros de esta gran tribu de tribus que ha traído sus vidas hasta aquí para contarlas y para escucharlas. Barcelona ya es guapa. Pero a la belleza urbanística también debería añadirse, poco a poco, una sutil belleza de la inteligencia. La inteligencia discreta que sólo saben destilar los amantes de largo recorrido.

The palimpsest of Barcelona

Joan Barril

Explaining a city to someone who has never seen it is as difficult as describing the sea to people who have always lived inland. Even more so when the sea is unchanging whereas, in contrast, cities are never content with being what they are and want to aspire to more. A European city seen from the air is like the diagram of a tree trunk cut through. In the centre is the origin of the city and, around it, in concentric circles are added other increasingly wider perimeters. A city can be described by its urban layout and for its aerial and distant views. This would be an insufficient description, however, a simple linking of maps of different years that would explain its growth in hectares. The problem is that hectares do not have souls and the charm of cities lies precisely in the human factor and its stamp. And this cannot be measured in hectares.

Barcelona has changed as New York has changed and even Venice changes. In some cases the changes in the cities are noticed because they are becoming increasingly bigger. In other cases the changes are a result of absorption. They also change due to collapse, or because of reconstructions. Cities are always improvable in the eyes of the citizens who live in them. Every city, from the moment it is discovered as such, wants to be a complete city. This is a desire that can never be fulfilled, however. Barcelona, for example, could increasingly be thought of as the completed work. The city limits have not been placed by man but by nature: a sometimes kind and sometimes cruel sea is an insuperable limit. Two rivers, one in the north and one in the south, where the industrial areas have taken over the orchards and fields, act as sentries. A mountain range, low in height but deep in meaning is a stimulus for the good sense of not invading it with more buildings. Barcelona is a grand amphitheatre facing the sea. It has the virtue, however, of being an almost complete city. Growth is a word that, in Barcelona, should be read in a different way, beyond tangible questions. We have a tendency to believe that progress is the equivalent of growth, when in reality progress is the equivalent of balance. The super-cities of the world boast of being the biggest, but this in itself does not bring greater benefit to its people or its visitors. Growth, then, is not an accumulation of data: avenues constructed, streets asphalted, the number of inhabitants, vehicles on the roadways. Growth is a way of feeling full and living with the sensation that every day we learn something new. This is the merit of Barcelona at the beginning of the 21st century. The people of Barcelona, both those who have lived there all their lives and those of just one day, are still surprised by a city that is capable of keeping the stone solidly standing and ensuring that the balconies and streets show off very different colours. This is qualitative growth, that enviable state of being in which we are convinced that we are losing nothing and that, in contrast, we are gaining all.

Perhaps Barcelona can no longer be defined as a series of streets that go from the narrow Gothic streets through to the straight angles of Eixample, from the early rural urbanisms to the large avenues of the sun and sea. The city is made up of people who pass by and of corners that preserve the feelings of each one, of balconies that are a setting for life and of lives that go up to the balconies of new perspectives due to the demolition of old houses and of this yellow fence that marks the border between the city of the present and that of the future. The city's vitality depends on this yellow fence that separates work from looking. On one side themachines dig up the reddish earth of the subsoil. On the other side of the fence the future users make sure the work is being done well.

The palimpsest of Barcelona **Joan Barril**

The yellow fence of building work was the true symbol of the city at the end of the 20th century. At that time reinforced concrete was a precious material worthy of adoration. Large spaces were gained where the human silhouette was the measurement of deep things and where people felt more beautiful than they really were. What was then called construct has now taken on other verbs: remodel, adapt, embellish, rehabilitate. The city begins to be built in stratum, one on top of the other. It is the palimpsest city, those ancient manuscripts that revealed writings beneath the writing. The streets where before were raised the steaming chimneys now host the vibrant silence of what have pompously been called "new technologies" without wishing to admit that the only fate of everything new is that it becomes old.

This is one of the great merits of early 21st-century Barcelona. The city rejects newness for newness' sake and returns to the lifelong practices of coexistence. Despite what the apocalyptic thinkers claim, that people do not leave their homes any more, there are few cities that display a street life with all the colours and musical styles like this one. There are two grand invasions that are adapting the city to new times. First of all, Barcelona's conversion into an essential city on the European tourist maps. Secondly, the immigratory movements that have encountered amid the uncertainty of different Spanish governments a good atmosphere to grow and become established. Barcelona's pragmatism has once again enabled it to make necessity a virtue and this phenomenon, which in other cities would have been the detonator of a social tragedy, is turning Barcelona, touch wood, into the melting-pot of new change in the management of the city. The not-far-off day in which an inhabitant from Barcelona with many generations behind them finds that the local policeman giving them a fine is someone who was born in Ecuador, or that the local bank manager who gives them a loan is an economist called Hassan, will be the day in which the city has founded itself once again.

I recall a sentence from my early childhood. My grandmother sometimes took me for a walk along the Diagonal Avenue, beyond the Francesc Macià roundabout. She had lived in a type of country house in the middle of fields. In reality my grandmother used me to attend the spectacle of the city's urbanisation. When we returned home my grandmother said the definitive sentence: "How everything's changed! You wouldn't recognise it!" It is this permanent state of surprise that makes Barcelona the jewel and display cabinet, screenplay and stage, actress and audience, all at the same time. The city's permanent change comes from the sky and the subsoil. Perspectives are recovered and new ones created. And when we say we would not recognise the city we are admitting that perhaps we citizens should make a serious effort to recognise ourselves.

And the final question. We are talking about Barcelona and we are making Barcelona a feminine noun in Spanish. A campaign by the City Council in the 1990s promoting the rehabilitation of façades of buildings carried the slogan: "Make yourself beautiful Barcelona", (ponte guapa in Spanish, the feminine adjective). One talks of "old Madrid" (viejo Madrid, the masculine adjective). Barcelona is female, however, a woman, mother, sister, girlfriend, she is feminine and sheltering, heroine-like when necessary and sad when she wants to become melancholy. When Barcelona mobilises, its people respond, whether it is for a pacifist demonstration or a Brazilian samba show. The streets are for filling up with people. And the ultimate reason behind this success in mobilising is in reasserting themselves as members of this great tribe of tribes who have brought their lives here to tell them and to be listened to. Barcelona is now beautiful, but to this urban beauty should also be added, little by little, a subtle beauty of intelligence: the discrete intelligence that only long-distance lovers know how to display.

Das Palimpsest Barcelona

Joan Barril

Eine Stadt zu beschreiben, die man niemals gesehen hat, ist genauso schwierig wie das Meer zu beschreiben, wenn man immer weit von der Küste entfernt gelebt hat. Und die Beschreibung der Stadt gibt noch mehr Komplikationen auf, denn das Meer ist unveränderlich, während die Städte nie mit dem zufrieden sind, was sie sind, und stets nach Höherem streben. Wenn man eine europäische Stadt aus der Luft betrachtet, gleicht sie der Zeichnung im Stamm eines gefällten Baumes. Im Inneren befinden sich die Ursprünge der Stadt, und um diese herum ziehen sich die konzentrischen Kreise, die sich durch das Wachstum der Stadt gebildet haben. Man kann eine Stadt anhand ihrer Architektur und anhand von Luft- und Fernaufnahmen beschreiben. Aber dies wäre eine unzureichende Beschreibung, eine einfache Verkettung von Plänen aus verschiedenen Jahren, die das Wachstum in Hektar beschreiben würde. Das Problem daran ist, dass Hektare keine Seele besitzen. Und die Anmut der Städte liegt eben genau im menschlichen Faktor und in der Spur, die der Mensch hinterlassen hat. Und die kann man nicht in Hektar messen.

Barcelona hat sich verändert, so wie sich New York verändert hat, und wie sich sogar Venedig verändert hat. Manchmal bemerkt man die Veränderungen in einer Stadt, weil die Städte immer größer und größer werden. Unter anderem sind die Veränderungen durch Auflockerung entstanden. Es kommt auch durch Einstürze oder den Wiederaufbau zu Veränderungen. Städte können, fragt man ihre Bürger, immer verbessert werden. Jede Stadt versucht von dem Moment an, in dem sie sich selbst als Stadt entdeckt, eine komplette Stadt zu sein. Aber das ist ein Wunsch, der niemals verwirklicht werden kann. Barcelona zum Beispiel versucht sich immer mehr der Idee eines Gesamtwerkes anzunähern. Aber die Grenzen der Stadt hat nicht der Mensch, sondern die Natur gesetzt. Eine unüberwindbare Grenze formt das Meer, manchmal liebenswürdig, manchmal zerstörerisch. Zwei Flüsse bewachen die Stadt im Norden und im Süden. Dort haben sich die Industriegebiete der einstigen Gärten und Felder bemächtigt. Und hinter der Stadt liegt noch die nicht besonders hohe Bergkette, die jedoch soviel Bedeutung für die Menschen besitzt, dass sie beschlossen haben, nicht weiter mit ihren Gebäuden in sie einzudringen. Barcelona ist ein großes Amphitheater am Meer. Aber Barcelona ist auch eine fast vollkommene Stadt. Wachstum ist ein Wort, das man in Barcelona anders lesen muss, es kann nicht in greifbaren Größen gemessen werden. Wir haben eine universelle Neigung dazu zu glauben, dass Fortschritt gleich Wachstum ist, obwohl Fortschritt in Wirklichkeit Gleichgewicht ist. Die Megalopolen prahlen damit, die bevölkerungsreichsten Städte der Welt zu sein. Das jedoch trägt weder zum Wohlbefinden der Bürger noch zu dem der Besucher bei. Wachstum ist nicht mit einer Anhäufung von Daten gleichzusetzen, gebaute Boulevards, asphaltierte Straßen, Einwohnerzahl, Fahrzeuge pro Straße. Wachsen ist die Fähigkeit, sich verwirklicht zu fühlen und mit dem Gefühl zu leben, jeden Tag etwas dazuzulernen. Das ist der Verdienst Barcelonas zu Beginn des 21. Jahrhunderts. Alle Barcelonesen, sowohl die, die es ihr Leben lang schon waren, als auch die, die es nur einen Tag lang sind, sind immer noch davon überrascht, dass die Stadt dazu in der Lage ist, alle Steine am richtigen Platz zu bewahren und dass die Balkone und Straßen so bunt und verschiedenartig sein können. Das ist qualitatives Wachstum. Dieser beneidenswerte Gemütszustand, in dem man davon überzeugt ist, nichts zu verlieren, sondern im Gegensatz dazu alles zu gewinnen.

Vielleicht kann man Barcelona nicht mehr nur als einen Komplex aus Straßen definieren, die von den engen Gassen im gotischen Viertel bis zu den rechten Winkeln in der Eixample reichen, von den einfachen, ländlichen Bauten bis zu den großen Boulevards der Sonne und des Meeres. Die Stadt entsteht durch die Menschen, die vorbeigehen, durch die Orte, die ihre eigenen Gefühle bewahrt haben, durch Balkone, die das Leben umrahmen und durch Leben, die sich auf diese Balkone begeben, durch neue Perspektiven, die durch den Abriss alter Häuser entstehen und durch diesen gelben Bauzaun, der die Grenze zwischen der heutigen und der zukünftigen Stadt markiert. Die Lebenskraft der Stadt hängt von diesem gelben Bauzaun ab, der die Arbeit und die Blicke abtrennt. Auf einer Seite bewegen die Maschinen die rötliche Erde des Untergrundes. Auf der anderen Seite des Bauzauns kontrollieren die Benutzer, ob die Arbeit gut gemacht wird.

Das palimpsest Barcelona **Joan Barril**

Anfang des 20. Jahrhunderts war der gelbe Bauzaun das wahre Symbol Barcelonas. Stahlbeton war zu dieser Zeit ein wertvolles, bewundernswertes Material. Es wurden dort große Räume erobert, wo die menschliche Silhouette das Maß der tiefen Dinge war und wo sich die Menschen schöner fühlten, als sie in Wirklichkeit waren. Was man damals Bauen nannte, wird heute mit anderen Verben belegt: Umgestalten, Umbauen, Auflockern, wieder Aufbauen. Man beginnt, die Stadt in Schichten zu bauen, eine über der anderen. Das ist die Stadt als Palimpsest, eines dieser alten Dokumente, in denen man Schriften unter Schriften erkennen kann. In den Straßen, in denen einst rauchende Schornsteine standen, verspürt man jetzt die vibrierende Stille dessen, was man so gern als „die neuen Technologien" bezeichnet, ohne dabei zugeben zu wollen, dass es das einzige Schicksal all dieser Neuheiten ist, auch irgendwann mal alt zu werden.

Das ist einer der großen Verdienste Barcelonas zu Beginn des 21. Jahrhunderts. Die Stadt lehnt es ab, das Neue anzunehmen, weil es neu ist, sondern sie kehrt zu den Formen des Zusammenlebens zurück, die es immer schon gab. Obwohl die Menschen, die stets die Apokalypse ankündigen, behaupten, dass die Menschen ihre Häuser nicht mehr verlassen, gibt es doch wenige Städte wie Barcelona, in denen sich soviel buntes und musikalisches Leben auf den Straßen abspielt. Zwei große Invasionen haben die Stadt an die neuen Zeiten angenähert. Zunächst ist Barcelona eine der unumgänglichen Städte für den europäischen Tourismus geworden. Und auch die Zahl der Immigranten ist aufgrund der Regierungs- und Linienwechsel und der somit unzureichenden Kontrolle ständig angewachsen. Aber der Pragmatismus der Barcelonesen hat es wieder einmal möglich gemacht, aus einer Notwendigkeit Vorteile zu ziehen. Dieses Phänomen der Immigration, das in anderen Städten eine soziale Katastrophe auslösen könnte, macht Barcelona zu einem Schmelztiegel für Veränderungen und Experimente in der Stadtverwaltung. Klopfen wir auf Holz. An dem Tag, und dieser Tag ist nicht mehr weit, an dem ein Bürger Barcelonas, dessen Familie schon seit Generationen in der Stadt lebt, auf einen Polizisten trifft, der ihm einen Strafzettel verpasst und in Ecuador zur Welt gekommen ist, oder der Geschäftsleiter der Bankfiliale, die ihm einen Kredit gewährt, ein Volkswirt namens Hassan ist, an diesem Tag hat sich die Stadt wieder neu gegründet.

Da kommt mir ein Satz in den Sinn, den ich vor langer Zeit, in meiner frühen Kindheit gehört habe. Meine Großmutter nahm mich manchmal zu einem Spaziergang auf der Diagonal mit, etwas oberhalb von Francesc Macià. Sie lebte in einer Art Gehöft mitten auf dem Land. In Wirklichkeit benutzte meine Großmutter mich und unsere gemeinsamen Spaziergänge, um dem Schauspiel der Stadterweiterung beizuwohnen. Wenn wir dann nach Hause zurückkehrten, sagte meine Großmutter den abschließenden Satz: „Wie sich das alles verändert hat! Ihr würdet es nicht wieder erkennen!". Es sind diese ständigen Überraschungen, die aus Barcelona gleichzeitig das Schmuckstück und das Schaufenster machen, den Text und die Bühne, die Schauspielerin und das Publikum. Die ständigen Veränderungen der Stadt kommen aus dem Himmel und aus dem Untergrund. Es werden Ansichten wieder zurückgewonnen und neue geschaffen. Und wenn wir sagen, dass wir die Stadt nicht wieder erkennen würden, geben wir vielleicht zu, dass wir Bürger uns wirklich darum bemühen sollten, uns wieder zu erkennen.

Und da ist noch eine letzte Sache. Wenn wir über Barcelona reden, benutzen wir in Spanien die weibliche Form. Eine Kampagne der Stadtverwaltung für die Renovierung der Fassaden in den Neunzigerjahren stand unter der folgenden Devise: „Barcelona, mach Dich hübsch" (Barcelona ponte guapa). Man redet von dem „alten Madrid" in der männlichen Form. Aber Barcelona ist eine Frau, Mutter, Schwester, Freundin. Barcelona ist weiblich und einladend, heldenhaft, wenn es angebracht ist, und traurig, wenn es traurig sein möchte. Wenn Barcelona ruft, kommen die Menschen. Egal, ob es sich um eine pazifistische Zusammenkunft oder um eine brasilianische Sambashow handelt. Die Straßen sind dazu da, sich mit Menschen zu füllen. Die Menschen folgen dem Ruf dieser Stadt, um dazuzugehören, zu dieser großen globalen Community. Und sie bringen ihre Lebensgeschichten mit, um sie zu erzählen und andere zu hören. Barcelona ist schon hübsch. Aber zu der architektonischen Schönheit der Stadt sollte mit der Zeit, ganz allmählich, die subtile Schönheit der Intelligenz hinzukommen. Eine diskrete Intelligenz, die einzig von denen destilliert werden kann, die lange Strecken lieben.

elona

If there is any clear frontier between civilisation and the unknown then it can be found in all ports. The port is an architecture that emerges from the water but which should be read beneath the water. Firstly it is often a small cove protected by small remains of land that resist falling into the sea, but gradually the water allows itself to be tamed and the boats find somewhere to rest. The port of Barcelona, like all ports, on the other hand, does not have limits. The natural vocation of ports is to grow, and they grow with enormous arms of stone that try to capture the sea.

When it enters the port, the sea stops being the sea and becomes a surface. It does not possess the reflections of freshwater lakes. Moreover, its texture is more mineral than liquid. The water in the port of Barcelona is made of Roman stones and rusty iron, but it is also the foundation of the strangest architectures. Towers that rise up like points of admiration of the landscape. Footbridges that remind one of the miracle of walking on water. The mirror of bygone trade achievements and the memory of white sails that are the flag of all the oceans.

Si existe alguna frontera clara entre la civilización y lo desconocido ésta se encuentra en todos los puertos. El puerto es una arquitectura que surge del agua pero que debe leerse bajo el agua. Primero suele ser una calita protegida por pequeños restos de tierra que se resisten a sumergirse, pero poco a poco el agua se deja domesticar y los barcos van encontrando su descanso. El puerto de Barcelona, como todos los puertos por otro lado, no tiene límites. La vocación natural de los puertos es crecer. Y van creciendo con enormes brazos de piedra que intentan capturar el mar.

El mar, cuando entra en el puerto, deja de ser mar para convertirse en superficie. No tiene los reflejos de los lagos de agua dulce. Y su textura es más mineral que líquida. El agua del puerto de Barcelona está hecha de piedras romanas y hierros oxidados, pero también es el fundamento de las arquitecturas más extrañas. Torres que se alzan como puntos de admiración del paisaje. Pasarelas que recuerdan el milagro del paso sobre las olas. El espejo de antiguas gestas del comercio y el recuerdo de las velas blancas que son la bandera de todos los océanos.

Falls es eine klare Grenze zwischen der Zivilisation und dem Unbekannten gibt, befindet sich diese in allen Häfen. Der Hafen ist eine Architektur, die aus dem Wasser aufsteigt, aber unter Wasser gelesen werden sollte. Zunächst ist ein Hafen eine kleine Bucht, von winzigen Resten Festland beschützt, die sich dagegen wehren, ganz unterzutauchen. Das Wasser lässt sich jedoch ganz allmählich bezwingen und die Schiffe finden einen Ruheplatz. Der Hafen von Barcelona hat wie alle anderen Häfen keine Begrenzungen. Häfen neigen von Natur aus dazu zu wachsen. Und sie wachsen mit gewaltigen Armen aus Stein, die versuchen, das Meer einzufangen. Das Meer ist nicht mehr das Meer, wenn es in den Hafen einfließt, sondern es wird zu einer Fläche. Die Widerspiegelungen der Süßwasserseen sind hier nicht zu sehen. Die Textur dieser Fläche wirkt eher steinern als flüssig. Das Wasser im Hafen von Barcelona besteht aus römischen Steinen und verrostetem Eisen, aber es ist auch das Fundament für die seltsamsten Bauten. Türme, die sich wie Aussichtspunkte über die Landschaft erheben. Laufstege, die an das Wunder des über das Wasser Gehens erinnern. Der Spiegel der einstigen Heldentaten der Händler und Reisenden und die Erinnerung an weiße Segel, die die Flagge aller Ozeane darstellen.

El puerto de Barcelona es salida y entrada. En oriente están todos los nudos y los faros del mediterráneo, el olor de la pesca y el enigma de los vientos. En poniente están la montañas que sirven de pedestal a las nubes. En el centro, una ciudad que ha crecido entre el cántico de la olas a la arena y el aire que hace cantar a los pinos de todas sus colinas.

The port of Barcelona is both exit and entrance. In the east are all the knots and the lighthouses of the Mediterranean, the smell of fish and the enigma of the winds. In the west are the mountains that act as a pedestal for the clouds. In the centre, a city that has grown between the canticle of the waves on the sand and the air that makes pine trees sing on all its hills.

Der Hafen von Barcelona ist Einfahrt und Ausfahrt. Im Orient befinden sich alle Knotenpunkte und Leuchttürme des Mittelmeeres, der Geruch der gefangenen Fische und das Geheimnis der Winde. Im Westen liegen die Berge, die als Sockel der Wolken dienen. Im Zentrum eine Stadt, die zwischen dem Gesang der Wellen auf dem Sand und dem Wind, der die Pinien auf allen Hügeln singen lässt, entstanden ist.

Teleférico de Montjuïc. Montjuïc Cable Car. Seilbahn am Montjuïc.

World Trade Center, 1988-1998. Henry Cobb →

Rambla de Mar i Maremàgnum, 1990-1995. Albert Viaplana

Puerto. Port. Hafen.

← L'Aquàrium

Monumento a Cristóbal Colón. *Monument dedicateed to Christofer Columbus. Kolombus-Denkmal.*
1888. Gaietà Buïgas, Rafael Atché

la navegació a vela
la navegación a vela / sailing navigation

Atarazanas Reales de Barcelona, s. XIV. Museu Marítim
Royal Arsenal of Barcelona, 14th century. Museu Marítim
Königliche Werften von Barcelona, 14. Jh., Schifffahrzmuseum

Platja de la Barceloneta →
Barceloneta Beach →
Der Strand Barceloneta →

Barceloneta i Mar Bella

Si nos acercamos con una lupa a la arena de la playa veremos los fragmentos de cuarzo, de feldespato y la negrura de la mica, que son la descomposición de esta gran piedra universal que es el granito. Pero si nos alejamos de la playa veremos otras sustancias no necesariamente minerales: piel, crema solar, sueño atrasado, amores huidizos y un lejano vestigio de los saurios al sol que alguno de los primeros días de la evolución debimos ser.

If we look close-up at the sand on the beach with a magnifying glass we will see fragments of quartz, felspar and the blackness of the mica, which are the decomposed parts of this grand universal stone called granite. If we move away from the sand, however, we will see other substances that are not necessarily mineral: skin, sun lotion, lack of sleep, fleeting love and a faraway vestige of the saurians in the sun which during the early days of evolution we must have been.

Wenn wir den Sand des Strandes mit einer Lupe betrachten, sehen wir Fragmente von Quarz, Feldspat und schwarzem Glimmer, die aus der Zersetzung dieses großen, universellen Steins Granit entstanden sind. Aber wenn wir uns vom Strand entfernen, sehen wir andere Substanzen, die nicht unbedingt mineralischen Ursprungs sind, Haut, Sonnencreme, Müdigkeit, flüchtige Liebschaften und alte Überreste der Saurier in der Sonne, die wir einst, in den ersten Tagen der Evolution, gewesen sein könnten.

Cada año, las playas de Barcelona se convierten en el escenario de la Fiesta del Cielo: cometas, globos y aviones surcan el aire →

Every year, the beaches of Barcelona become the setting for the Festival of the Sky: kites, hot air balloons and aircraft ride the winds →

Jedes Jahr wird aus den Stränden Barcelonas die Bühne des Festes des Himmels: Drachen, Ballons und Flugzeuge durchfurchen die Luft →

La ciudad de los tres colores nos hace buscar un cuarto. En la franja de arriba el azul cielo del cielo. En el medio, el azul verdoso de un mar antiguo que es la pizarra de los dibujantes del viento. Abajo, como si la tierra no fuera otra cosa que el residuo de todas las erosiones del planeta, una superficie tostada y granulosa que atrae la luz y el calor. Un pueblo de heliófilos se entrega a la paz vibrante de las radiaciones solares. No se trata de toallas sino de sillas, como si los barceloneses fueran a conversar con los astros y se dejasen poseer por las mismas sensaciones que hicieron progresar a los primeros saurios. Como animales que piensan, ante el sol y sobre los tres colores del litoral, la gente deja el pensamiento en la bolsa y se deja impregnar por la gran energía del universo.

The three-coloured city makes us seek out a fourth. On the upper section the sky blue of the sky. In the centre, the greenish blue of an ancient sea that is the drawing board for those who illustrate the wind. Below, as if the earth was nothing more than the waste of all the planet's erosions, a toasted and granulated surface that attracts light and heat. A people of sun-lovers who surrender to the vibrant peace of the sun's rays. This is not about towels but rather chairs, as if the people of Barcelona were conversing with the heavenly bodies and allowed themselves to be possessed by the same feelings that made the first saurian beings progress. Like thinking animals, before the sun and over the three colours of the coastline, people leave thought behind and allow themselves to be impregnated by the great energy of the universe.

In der Stadt der drei Farben sucht man nicht nach einer vierten Farbe. Im oberen Streifen das intensive Blau des Himmels. In der Mitte, das Grünblau des alten Meeres, das eine Tafel für die Zeichnungen des Windes ist. Unten, so als ob die Erde nichts anderes als ein Rückbleibsel aller Erosionen auf diesem Planeten sei, eine gebräunte und körnige Fläche, die Licht und Hitze anzieht. Ein Volk aus Sonnenpflanzen, das sich dem vibrierenden Frieden der Sonnenstrahlen aussetzt. Es sind keine Handtücher, sondern Stühle, so als ob die Barcelonesen mit den Sternen reden würden und sich von den frühen Empfindungen besitzen lassen, die zur Entwicklung der ersten Saurier geführt haben. Wie denkende Tiere, in der Sonne und vor den drei Farben der Küste, lassen die Menschen ihre Gedanken in der Tasche, um sich von der starken Energie des Universum imprägnieren zu lassen.

L'estel ferit, 1992. Rebeca Horn

Peix, 1992. Frank Gehry

← Las torres del Port Olímpic son el umbral que separa la Barcelona del trabajo,
los coches y el ruido de la Barcelona del ocio, el paseo y la luz del sol.

← The towers of the Olympic Port are the threshold separating the Barcelona
of work, traffic and noise from the Barcelona of leisure, strolling and sunlight.

← Die Türme des Olympiahafens sind die Schwelle, die das Barcelona der Arbeit, der Autos und
des Lärms von dem Barcelona der Freizeit, der Spaziergänge und des Sonnenlichts trennt.

Port Olímpic →

Del Mediterráneo ha venido el alimento, la sal, el vino y las lenguas. Antes la vida llegaba dentro de las nansas de mimbre o enredada entre las redes tejidas y destejidas como el manto de Penélope. Hoy la vida es invisible y el progreso comercial se esconde dentro de prismas metálicos y multicolores. El contenedor es la medida de todas las mercaderías marítimas. El continente ya no importa. Dentro de estas enormes cajas metálicas están todos los tesoros de todas las orillas. Y ni siquiera los brazos humanos sudan cuando las trasladan de la tierra a la bodega. El mundo es redondo porque un objeto cuadrado va de puerto en puerto hasta volver al lugar del que salió. Los peces ya sólo son los puntos suspensivos de un mar antiguo que deja paso a los negocios más flotantes que los barcos que los transportan.

De la Méditerranée nous viennent la nourriture, le sel, le vin et les langues. Jadis, la vie arrivait dans les nasses en osier ou emmêlée entre les mailles tissées et dénouées, comme le voile de Pénélope. Aujourd'hui, la vie est invisible et le progrès commercial se cache dans des prismes métalliques et multicolores. Le container est la mesure de toutes les marchandises maritimes. Le contenant ne compte plus. Dans ces énormes caisses métalliques se trouvent tous les trésors de toutes les rives. Et les bras humains ne transpirent même plus quand ils les transportent de la terre aux cales. Le monde est rond parce qu'un objet carré se promène de port en port et revient à son point de départ. Les poissons ne sont plus que les points de suspension d'une mer antique qui cède la place à des affaires plus flottantes que les bateaux qui les transportent.

Vom Mittelmeer kamen die Nahrung, das Salz, der Wein und die Sprachen. Früher kam das Leben in Fischkörben aus Weide oder verwickelt in Netze, die wie der Schleier Penelopes gewoben oder aufgetrennt werden. Heute ist das Leben unsichtbar und der Fortschritt des Handels versteckt sich zwischen Prismen aus Metall und vielen Farben. Der Container ist das Maß aller verschifften Waren. Der Inhalt spielt keine Rolle mehr. Diese enormen Metallkästen enthalten die Schätze aller Häfen. Und die Arme der Menschen schwitzen nicht einmal mehr, wenn sie sie von der Erde in den Laderaum heben. Die Erde ist rund, weil ein quadratisches Objekt von einem Hafen zum anderen gebracht wird, bis es wieder zu dem Ort zurückkehrt, an dem es die Reise begann. Die Fische sind nur noch aufschiebende Punkte in einem alten Meer, das Geschäften Durchgang verschafft, die fließender sind als die Schiffe, die sie transportieren.

Mozos de cuerda en las puertas de Santa Maria del Mar →

Porters on the doors of Santa Maria del Mar →

Dienstmänner vor den Türen von Santa Maria del Mar →

On the metal figures on the doors of Santa María del Mar, the true metal is in the muscles of those who built the city with the strength in their arms. The history of cities is sometimes explained from the lives and feats of its gentlemen, armies and princes, of its battles and festivals. Perhaps the time has come, then, to look at cities from the point of view of everyday folk. Let us pick up a magnifying glass and a panoramic engraving of the city we want to discover through time. Hold the lens of the magnifying glass over any figure, the one furthest from the centre of the image. Then try to imagine what that person was called and, if they are carrying a bundle or a chest, what they had inside it. What language did they speak? What wage did they receive for their day's work and who was waiting for them at home? What illnesses did they suffer from and what happy events gave them hope? In these silhouettes of workers is found the tale of tenacity. People who dived into the waters of the port with or without a boat and who dragged the parcels back to the shore. In those days they loaded them on their backs and left them at the door of the market. Walking along the narrow streets of the city that grew we would see around it the scaffolding of the big cathedrals and the engineering of the fresh water channels. We would hear the pealing of the bells or we would defeat the cold in the polychromed glass or wrought iron forges from which would later come the cannonballs for defence or attack. Cities are not empty streets or closed houses. Without citizens there are no cities. From the efforts of these people comes the city of today.

En estas figuras de metal de las puertas de Santa María del Mar, el verdadero metal está en los músculos de los que construyeron la ciudad a fuerza de brazos. A veces se explica la historia de las ciudades a partir de la vida y las gestas de sus señores, de los ejércitos y de los príncipes, de las batallas y de las fiestas. Pero tal vez ha llegado la hora de mirar las ciudades desde la perspectiva de aquella gente común. Cogemos una lupa y un grabado panorámico de la ciudad que queremos conocer a través del tiempo. Detenemos la lente de aumento sobre una figura cualquiera, la más alejada del centro de la imagen. Intentamos imaginar entonces cómo se llamaba aquel personaje. Si lleva un hato o un cofre, qué había dentro. Qué lengua hablaba. Qué jornal percibía por su trabajo y quién le esperaba en casa. Qué enfermedades podía sufrir y

qué alegrías le daban fuerza. En estas siluetas de trabajadores se halla la historia de una tenacidad. Gente que se lanzaba a las aguas del puerto con o sin barcas y que arrastraban los bultos hasta la orilla. Entonces los cargaban sobre las espaldas y los dejaban a pie de mercado. Caminando por los callejones de la ciudad que crecía veríamos a su alrededor los andamios de las grandes catedrales, la ingeniería de las acequias de agua fresca. Oiríamos el sonido de las campanas o venceríamos el frío en las fraguas de los vidrios policromados o en las forjas del hierro del que saldrían después las balas de cañón de la defensa o del ataque. Las ciudades no son calles vacías ni casas cerradas. Sin ciudadanos no hay ciudad. Del esfuerzo de estas figuras proviene la ciudad de hoy.

An den Metallfiguren der Tore von Santa Maria del Mar gibt es ein wahres Metall, die Muskeln, die die Stadt mit der Kraft von menschlichen Armen errichtet haben. Manchmal wird die Geschichte einer Stadt anhand des Lebens und der Taten der Herren, der Heere und der Prinzen, der Schlachten und der Feste erzählt. Aber vielleicht ist der Moment gekommen, die Städte aus der Perspektive jener gewöhnlichen Menschen zu betrachten. Nehmen wir eine Lupe und ein Panoramabild der Stadt, die wir in allen Zeiten kennen lernen möchten. Halten wir die Vergrößerungslinse über irgendeinen Menschen, über den, der am weitesten vom Zentrum des Bildes entfernt ist. Versuchen wir uns vorzustellen, wie dieser Mensch hieß. Und ob er ein Bündel oder eine Truhe trug, und was darin war. Was für eine Sprache sprach er? Welchen Tagelohn erhielt er für seine Arbeit und wer erwartete ihn zuhause? Welche Krankheiten hatte er

erlitten und was waren die Freuden, die ihm Kraft gaben? In diesen Silhouetten der Arbeiter findet man die Geschichte der Hartnäckigkeit. Menschen, die sich mit oder ohne Boote in das Wasser der Häfen begaben und die Bündel bis zum Ufer zogen. Dann luden sie sie auf ihre Schultern und brachten sie bis zum Markt. Beim Durchqueren der Gassen der ständig wachsenden Stadt waren sie von den Gerüsten der großen Kathedralen umgeben, von den Arbeiten an Kanälen für frisches Wasser. Wir hören den Klang der Glocken oder überwinden die Kälte der Werkstätten, in denen bunte Gläser hergestellt wurden, der Schmieden, in denen das Eisen geschmiedet wurde, aus dem die Kanonenkugeln zur Verteidigung oder zum Angriff kommen sollten. Städte sind weder leere Straßen noch geschlossene Häuser. Ohne die Menschen gibt es keine Städte. Aus den Anstrengungen jener Menschen sind die Städte von heute entstanden.

Hubo un tiempo en que las campanas eran la traducción sonora del tiempo. Hoy el tiempo es la traducción frenética de la vida. Un campanario ya no puede sustituir en exactitud a un reloj digital, pero sí que nos puede dar la medida del tiempo del espíritu. Un campanario nos recuerda los clavos con los que Dios y sus delegados han intentado unir la ciudad a la tierra para evitar que se escape a su mirada. Desde el interior, los troncos de piedra del ábside nos muestran la luz que se filtra entre todos los resquicios del bosque. En Santa Maria del Mar las rosas son de vidrio, pero no pinchan. Y las espadas de los guerreros ya no sostienen el reino de los hombres sino las bóvedas de las casas del alma.

There was once a time when the bells were the translation of time into sound. Today time is the frenetic translation of life. A bell tower can no longer replace a digital watch with precision, but it can provide us with a measurement of the state of the soul. A bell tower reminds us of the nails with which God and his representatives have tried to fix the city to the earth to avoid it escaping from its eyeful watch. From the inside, the stone trunks of the apse show us the light that is filtered through all the chinks in the forest. In Santa Maria del Mar the roses are made of glass but they do not prick. And the swords of the warriors no longer support the kingdom of men but rather the vaulting of the houses of the soul.

Església de Santa Maria del Mar, s.XIV

Es war einmal eine Zeit, in der die Glocken die klangliche Übersetzung der Zeit waren. Heute ist die Zeit die frenetische Übersetzung des Lebens. Ein Glockenturm kann nicht mehr die Genauigkeit einer digitalen Uhr ersetzen, aber er kann uns weiterhin das Zeitmaß des Geistes geben. Ein Glockenturm erinnert uns an die Nägel, mit denen Gott und seine Vertreter versucht haben, die Stadt an der Erde zu befestigen, um zu vermeiden, dass sie vor seinem Blick flüchtet. Von innen zeigen uns die steinernen Stämme der Apsis das Licht, das sich durch alle Ritze im Wald filtert. In Santa Maria del Mar sind die Rosen aus Glas, aber sie stechen nicht. Und die Schwerter der Krieger halten nicht mehr das Königreich der Menschen, sonder die Gewölbe der Häuser der Seele.

Plaça de Santa Maria

Carrer de les Caputxes →

Born, 1992. Jaume Plensa

Conjunto arqueológico del Mercat del Born con los restos del antiguo barrio de
la Ribera destruido durante el asedio de las tropas de Felipe V (1714-1716)

Archaeological complex of the Mercat del Born with remains of the district of
Ribera destroyed during the siege by the troops of Philip V (1714-1716)

Archäologischer Komplex des Mercat del Born mit den Ruinen des antiken
Viertels La Ribera, das während der Belagerung durch die Truppen Philipps V.
(1714 – 1716) zerstört wurde.

Mercat del Born, 1874-1876. J. Fontserè i Josep M. Cornet

Passeig del Born

Museu Tèxtil i d'Indumentària

Carrer de la Vidrieria

Museu Picasso

Plaça de les Olles

Església de la Mercè

Font del geni català, 1856. Faust Baratta, Francesc Daniel Molina

Calles con claridad de hucha, como una ranura solar que se abre entre los palacios. Dos ángulos. El ángulo de las fachadas sobre el pavimento. Las casas han crecido desde la tierra con precisión vertical. Los ángulos redondeados por el uso de tanta gente que ha ido rozando sus cuerpos contra las paredes protegiéndose tal vez de la lluvia, de la oscuridad o de los enemigos. El otro ángulo en lo alto, allá donde las hiedras se detienen porque el cielo las rechaza. Por encima de los tejados una nueva ciudad flota sobre la antigua. De tanto en tanto pináculos góticos, palomares abandonados, sombrillas tranquilas y la ropa tendida de un barrio que tiene en sus sábanas el secreto de elevarse. Los rincones de cada esquina acogen músicos y comercios. Los rincones de los aleros y las gárgolas son el ámbito de pequeñas historias de gatos, pájaros y de vidas menudas. Y es en las vidas menudas donde las ciudades se hacen grandes.

Streets as clearly defined as a beam of light, like a groove of sunlight that opens up between palaces. Two angles. The angle of the façades over the pavement. The houses have grown up from the earth with vertical precision. The rounded angles due to use by so many people who have rubbed their bodies against the walls protecting themselves from the rain perhaps, from the darkness or from their enemies. The other high-up angle, where the ivies stop because the sky rejects them. Above the rooftops a new city floats over the old one. Now and then Gothic pinnacles appear, or abandoned dovecots, calm sunshades and the hanging clothes of a district that holds the secret of flying in its sheets. The nooks and crannies of every corner shelter musicians and tradesmen. The corners of the eaves and gargoyles are the worlds of small stories of cats, birds and insignificant lives. And it is in these insignificant lives where cities become big.

Straßen so hell wie das Innere einer Sparbüchse, mit einem Sonnenschlitz, der sich zwischen den Palästen öffnet. Zwei Winkel. Der Winkel der Fassaden über dem Pflaster. Die Häuser sind mit vertikaler Genauigkeit aus der Erde gewachsen. Die Kanten sind vom Gebrauch abgerundet, von den vielen Menschen, die ihre Körper an die Wände gedrückt haben, vielleicht, um sich vor dem Regen, der Dunkelheit oder vor Feinden zu schützen. Der andere Winkel ist oben, dort, wo der Efeu nicht mehr weiterwächst, weil der Himmel ihn abweist. Über den Dächern schwebt eine neue Stadt, genau über der alten. Manchmal gotische Giebel, verlassene Taubenschläge, ruhige Sonnenschirme und die aufgehängte Wäsche eines Viertels, das in seinen Bettlaken das Geheimnis der Losfliegens trägt. In allen Winkeln sind Musiker und kleine Läden zu finden. Die Eckchen unter den Vordächern und Wasserspeiern sind Orte, an denen kurze Geschichten von Katzen, Vögeln und winzigen Leben erzählt werden. Und es ist in den winzigen Leben, in denen die Städte riesig werden.

Templo de Augusto. Temple of Augustus. Augustus-Tempel.

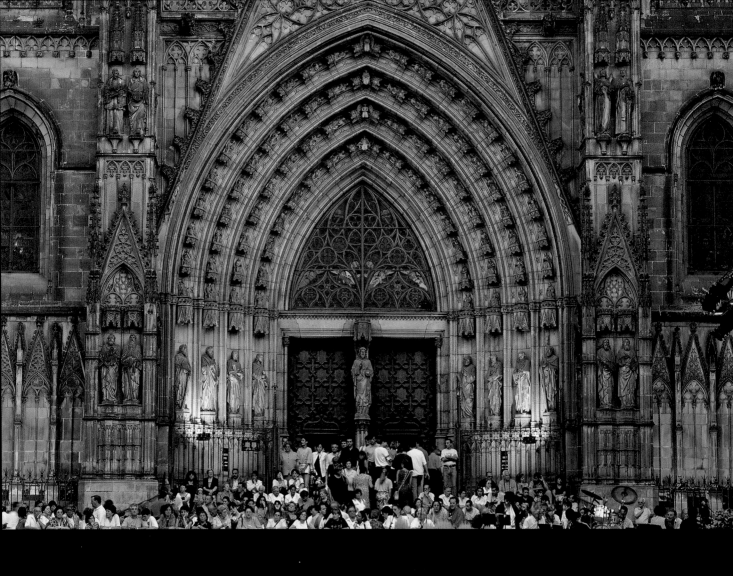

Catedral de Barcelona, ss XIII-XV. Façana principal s XX, Josep Oriol Mestres

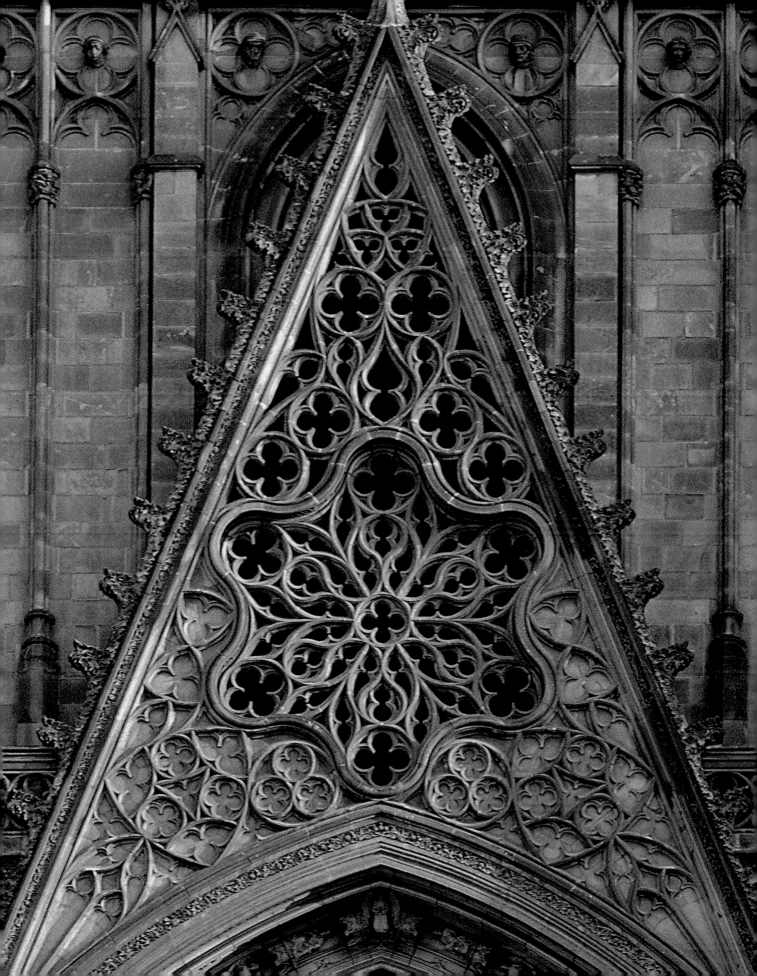

Claustro de la Catedral

Cloister of the Cathedral

Kreuzgang der Kathedrale

Imágenes góticas de Ciutat Vella →

Gothic images of Ciutat Vella

Gotische Bilder in der Ciutat Vella

Feria navideña de Santa Llúcia

Saint Lucy's Christmas Fair

Der Weihnachtsmarkt Santa Llúcia

Plaça de Sant Just

Baile de sardanas en la Avinguda de la Catedral

Tangos en la Plaça Nova. Al fondo los esgrafiados de Picasso que
adornan la sede del COAC (Colegio Oficial de Arquitectos Catalanes)

Tangos in the Plaça Nova. In the background the sgraffito by Picasso that
adorn the COAC building (Professional Association of Catalan Architects)

Tangos auf der Plaça Nova Im Hintergrund der Kratzputz von Picasso,
der den Sitz der COAC (Architektenkammer von Katalonien) schmückt.

Barcino, 1995. Joan Brossa →

Carrer del Bisbe

Carrer de la Pietat

Portal de la capilla de Santa Llúcia, s.XIII

Doorway of the chapel of Saint Lucy, 13th century

Pforte der Kapelle Santa Llúcia, 18. Jh.

Carrer del Bisbe →

La Plaça Sant Jaume, sede del Ayuntamiento y del Palau de la Generalitat.

Plaça Sant Jaume, headquarters of the City Council and the Catalan Autonomous Government (Generalitat).

Plaça Sant Jaume, Sitz der Stadtverwaltung und des Regierungspalastes.

L'ou com balla es una singular tradición barcelonesa que consiste en hacer que
un huevo baile en los surtidores de claustros, patios y jardines el día del Corpus

L'ou com balla (the dancing egg) is a unique tradition in Barcelona that consists of making an
egg dance on the fountains of cloisters, courtyards and gardens on the day of Corpus Christi

L'ou com balla ist eine einzigartige Tradition in Barcelona. Ein Ei tanzt an
Fronleichnam auf den Springbrunnen der Kreuzgänge, Höfe und Gärten

Ca l'Ardiaca

La plaza de Sant Felip Neri sólo tiene dos sonidos que le son propios: el murmullo del agua del surtidor y el griterío de los niños que entran y salen de la escuela. Si nos acercamos a las paredes oiremos el estrépito de las bombas de una Guerra Civil que todavía sangra por los agujeros de las piedras de la iglesia.

The Plaça Sant Felip Neri has just two sounds that belong to it directly: the murmur of the water from the fountain and the shouting of the children entering and leaving school. If we approach the walls we will hear the racket of the bombs of a Civil War that still bleeds through the cracks in the stones of the church.

Der Platz Sant Felip Neri kann nur zwei Geräusche sein eigen nennen: das Murmeln des Wassers des Springbrunnens und das Geschrei der Kinder, die zur Schule gehen. Wenn wir uns den Wänden annähern, hören wir den Lärm der Bomben eines Bürgerkrieges, dessen Blut immer noch durch die Lücken der Steine der Kirche fließt.

Església de Santa Maria del Pi, s.XIV →
Ciutat Vella →→

Las calles de la Barcelona antigua tienen luz de hucha. Por las calles estrechas siempre se ve una tira de cielo que a duras penas nos muestra la claridad del sol. Las plazas de Ciutat Vella son en realidad grandes depósitos de sol donde los ciudadanos van cada día a buscar una ración para llevársela a casa y hacer cantar al canario o para secar la ropa tendida. Estas plazas no están hechas para atravesarlas deprisa y corriendo. Cuando el caminante llega a una de estas plazas soleadas se detiene como los navegantes antes de cruzar el océano. La gente camina poco a poco y busca cualquier pretexto para sentarse y sentirse naturaleza viva dentro de un marco inmejorable.

The streets of old Barcelona have the straight beam of light. In these narrow streets you always see a strip of sky that just about shows us the sunlight. The squares in the Ciutat Vella district are really great deposits of sun where the citizens go each day in search of a ration to take home with them and make the canary sing or for drying their hanging clothes. These squares are not meant to be crossed quickly or running. When the walker reaches one of these sunny squares they stop like navigators before crossing the ocean. People walk slowly and look for any pretext to sit down and sense living nature within a superb setting.

Die Straßen des alten Barcelonas erhalten das Tageslicht durch kleine Schlitze. In den engen Gassen sieht man immer einen Streifen Himmel, an dem man nur mit Mühe das helle Sonnenlicht entdecken kann. Die Plätze der Ciutat Vella sind in Wirklichkeit große Lagerplätze für Sonne, an denen die Bürger jeden Tag eine Portion abholen, um sie mit nach Hause zu nehmen, damit der Kanarienvogel singt oder die Wäsche trocknet. Diese Plätze sind nicht dazu da, sie allzu schnell zu überqueren. Wenn man zu Fuß an einen dieser sonnigen Plätze gelangt, hält man an wie ein Seefahrer, bevor er das Meer überquert. Die Menschen gehen langsam und jeder Vorwand ist willkommen, um sich hinzusetzen und sich wie ein Stillleben innerhalb eines wundervollen Rahmens zu fühlen.

Plaça de Sant Josep Oriol / Plaça de George Orwell

Plaça Reial

La Rambla →

There are not that many differences between the zoo and the theatre. Some look and others are there to know how to be looked at. Some sit down and see life pass by. Others pass by and look at those seated. The Rambla of Barcelona is shop window and terrarium alike, a world without frontiers where everyone is seen as a reflection. If the world were to disappear beneath a lethal explosion and only a few thousand people remained alive on the planet, the reconstruction of civilisation would take the form of the Rambla of Barcelona. The Rambla is the kingdom of anonymity, a street where no kiss is furtive and where the street musician has as much dignity as the banker from the grand offices. In the Rambla you can breathe in the smell of the vegetables from the market and the perfume of the lady from the Liceu theatre. From the mixture of so much contrast arises a uniform spiritual matter. Art goes down into the street and life becomes art. The Rambla is never still. It is in reality the collective conscience. The great impulses of Barcelona are going to be written in the great school of the Rambla, where the water from a fountain tastes like an elixir of citizenry that turns all the colours into a restless pigment that we could describe as the colour Rambla and that nobody has yet been able to export to other parts of the world.

Entre el zoológico y el teatro no hay demasiadas diferencias. Unos miran y los otros están allá para saberse mirados. Unos se sientan y ven pasar la vida. Otros pasan y ven a los que están sentados. La Rambla de Barcelona es al mismo tiempo aparador y terrario, un ámbito sin fronteras donde todo el mundo se ve reflejado. Si el mundo desapareciera bajo una explosión letal y sólo quedasen en el planeta unos cuantos miles de personas, la reconstrucción de la civilización tendría forma de Rambla de Barcelona. La Rambla es el reino del anonimato, una calle donde ningún beso es furtivo y donde tiene despachos. En la Rambla se respira el olor de las verduras del mercado y el perfume de la señora del Liceo. De la mezcla de tanto contraste surge una materia espiritual homogénea. El arte baja a la calle y la vida se convierte en arte. La Rambla nunca está quieta. Es en realidad la conciencia colectiva. Las grandes pulsiones de Barcelona van a escribirse en la gran escuela ramblera, allá donde el agua de una fuente parece un elixir de ciudadanía que hace de todos los colores un pigmento inquieto al que podríamos definir como color Rambla y que nadie ha sabido todavía exportar a otros lugares

Zwischen dem Zoologischen Garten und dem Theater gibt es wenig Unterschiede. Die einen schauen und die anderen lassen sich anschauen. Die einen setzen sich hin und sehen zu, wie das Leben vorbeigeht. Die anderen gehen vorbei und sehen die, die dort sitzen. Die Rambla in Barcelona ist gleichzeitig Schaufenster und Terrarium, eine Umgebung ohne Grenzen, in der sich jeder widergespiegelt sieht. Wenn die Welt plötzlich durch eine tödliche Explosion verschwinden würde und auf dem Planeten nur ein paar Tausend Menschen bleiben würden, hätte der Wiederaufbau der Zivilisation die Form der Rambla von Barcelona. Die Rambla ist das Königreich der Anonymität, eine Straße, in der es keine heimlichen Küsse gibt und in der der Straßenmusiker die gleiche Würde

wie der Bankier mit den großen Büros besitzt. Auf der Rambla riecht man den Geruch des Gemüses auf dem Markt und das Parfüm der Dame aus dem Liceo. Aus dieser Mischung so vieler Elemente geht eine spirituelle und einheitliche Materie hervor. Die Kunst kommt auf die Straße und das Leben wird zur Kunst. Die Rambla ist nie ruhig. Sie ist in Wirklichkeit das kollektive Gewissen. Die großen Pulsschläge Barcelonas werden in der großen Schule der Rambla geschrieben, dort, wo das Wasser eines Brunnens das Elixier der Bürger zu sein scheint, die aus allen Farben ein unruhiges Pigment machen, das wir als die Farbe Rambla definieren könnten und die bisher noch niemand an andere Orte der Welt zu exportieren wusste.

El mosaico de Joan Miró en el pla de la Boqueria es como un corazón multicolor que late bajo los pies de los paseantes y habitantes de la Rambla

The mosaic by Joan Miró in the Pla de la Boqueria is like a multicoloured heart that beats beneath the feet of the passers-by and residents of La Rambla

Das Mosaik von Joan Miró am Pla de la Boqueria ist wie ein buntes Herz, das unter der Haut der Vorübergehenden und der Bewohner der Rambla schlägt.

En esta parte del Mediterráneo la palabra Rambla define un cauce por donde pasa el agua de las lluvias que caen en la montaña y que van a fundirse con el mar. La Rambla de Barcelona ha cambiado agua por gente y ahora se configura como un paseo dual: todo aquello que baja, sube. Y todos aquellos que se sientan a mirar a los que pasan, son mirados por los que pasan. La Rambla es indistintamente escenario y patio de butacas, actores y público. En la Rambla nadie, ni siquiera el paseante más quieto de todos, es un personaje pasivo. Si el mundo, por un extraño e indeseable cataclismo, estuviera a punto de desaparecer, los supervivientes se encontrarían en la Rambla, allá donde la fortuna y la desgracia encuentran un ámbito común de buen entendimiento.

In this part of the Mediterranean the word Rambla means a riverbed of a stream where the rainwater from the mountain passes and flows into the seas. The Rambla of Barcelona has changed water for people and now takes the form of a dual channel: everything that goes down comes back up. And all the people who sit down to look at those going past are looked at by the passers-by. The Rambla is both stage and stalls, cast and audience. Nobody in the Rambla, not even the most immobile passer-by of all, is a passive character. If the world, due to a strange and undesirable cataclysm, was about to disappear, the survivors would meet up on the Rambla, where good luck and misfortune share a common ground of good understanding.

In dieser Region am Mittelmeer bezeichnet das Wort Rambla ein Flussbett,
durch das das Wasser des Regens läuft, der in den Bergen niedergeht,
um sich mit dem Meer zu vermischen. Die Rambla von Barcelona hat
das Wasser gegen die Menschen getauscht, dort geht man jetzt spazieren,
auf zweifache Weise, alles was nach unten geht, kommt wieder hoch.
Und alle die sich hinsetzen, um die Vorübergehenden anzuschauen, werden
von denen angeschaut, die vorübergehen. La Rambla ist gleichzeitig die
Bühne und der Parkettsitz, Schauspieler und Publikum. Auf der Rambla
ist niemand, nicht einmal der unbeweglichste aller Müßiggänger, eine
passive Persönlichkeit. Falls die Welt aufgrund einer merkwürdigen und
unerwünschten Katastrophe vor dem Untergang stehen würde, würden
sich die Überlebenden auf der Rambla treffen, dort, wo das Glück und
das Unglück ein gemeinsames Feld für das gegenseitige Verständnis finden.

Gran Teatre del Liceu, 1844-1848. M. Garriga i Roca
Reforma i ampliació, 1990-1998. I. Solà-Morales, X. Fabré i Ll. Dilme

Gran Teatre del Liceu

Por ahora no se ha encontrado una herramienta mejor para conservar la memoria, para hacer volar la imaginación y para condensar la belleza de las palabras que un libro. El Día de Sant Jordi la ciudad se llena de libros honorando el objeto que recuerda a los ciudadanos que la letra impresa es un seguro de vida espiritual. El día se complementa con la venta de rosas. Hay quien dice que se trata de una fiesta de amor. Pero para los catalanes se ha convertido en la fiesta del amor propio.

Until now no better tool has been found for preserving the memory, for letting the imagination run wild and for condensing the beauty of words than a book. On Saint George's Day the city is full of books, the mission of which is to remind the citizens that the printed word is life insurance for the soul. The day is complemented with the selling of roses. There are those who argue it is a festival of love, but for the Catalans it has become the festival of love for one's own self-esteem.

Bis heute wurde kein besseres Werkzeug erfunden, um das Gedächtnis
wach zu halten, die Fantasie fliegen zu lassen und die Schönheit der Worte
zu verdichten als das Buch. Am Tag des Sant Jordi, des Heiligen Georg,
füllt sich die Stadt mit Büchern, um das Objekt zu ehren, das die Bürger
daran erinnert, dass das gedruckte Wort eine geistige Lebensversicherung
darstellt. An diesem Tag werden auch Rosen verkauft. Es gibt Menschen,
die sagen, dass es ein Fest der Liebe ist. Aber für die Katalanen ist es
zum Fest der Eigenliebe geworden.

23 de abril, Sant Jordi

La Ola, 1998. Jorge Oteiza

Barrio del Raval. The Raval district. Das Viertel.

Museu d'Art Contemporani de Barcelona MACBA, 1988-1995. Richard Meier & Partners

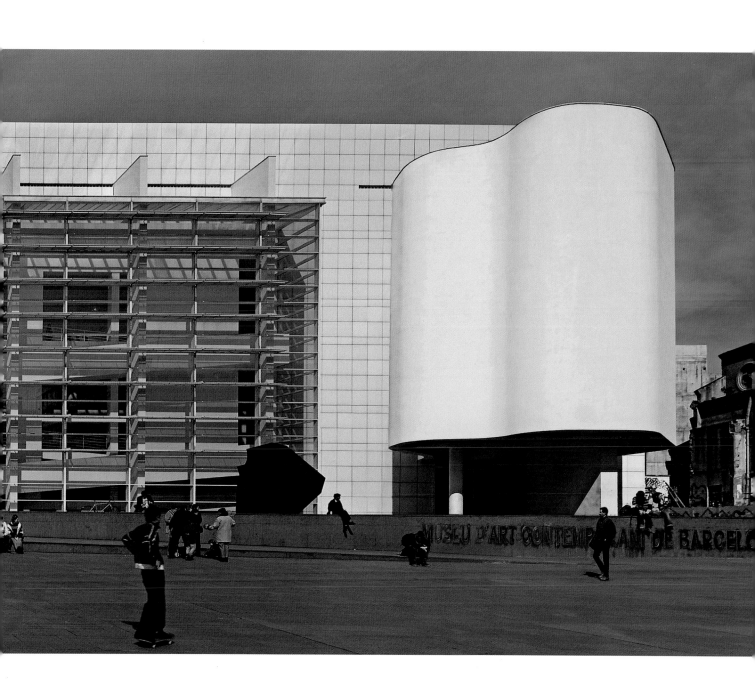

Centre de Cultura Contemporània de Barcelona, CCCB, 1990-1994. Helio Piñón i Albert Viaplana

EXPOSICIONS
VENDA D'ENTRADES
EXPOSICIONES
TICKETS

Las ciudades estrechas con vocación de *Kashba* han visto como les crecían, entre el laberinto de calles, plazas nuevas y espacios con equipamientos nobles. A este trabajo urbanístico se le denomina «esponjamiento» Y, realmente, la capacidad de absorción y de destilación de estos barrios esponjados se ha mostrado muy eficaz. Basta con encerrar el arte dentro de una caja luminosa para que las calles se llenen de matices y de artesanías. Hoy, el Raval es el barrio más multicolor, variado y al mismo tiempo el más homogéneo de la ciudad. Todo y todos están en su sitio y en cada esquina nos parece estar un lugar diferente del mundo.

The narrow cities with the vocation of a *Kasbah* have seen how, amid the labyrinth of streets, new squares and spaces with splendid installations grew up amongst them. This urban work is given the name "sponging-up". In fact, the capacity for absorption and distillation of these spongy districts has been shown to be highly efficient. All that was required was to close off the art in a luminous box for the streets to be filled with different shades and arts and crafts. Today, the Raval district is the most multicoloured, varied and at the same time most homogeneous district in the city. Absolutely everything is where it should be and every street corner seems to us like a different part of the world.

Die engen Städte, die sich zur *Kashba* berufen fühlen, haben gesehen, wie ihnen inmitten des Straßenlabyrinths neue Plätze und Gebäude mit edler Ausstattung wuchsen. Diese urbanistische Arbeit bezeichnet man als „Auflockerung". Und die Fähigkeit zum Aufnehmen und Filtern dieser aufgelockerten Viertel hat sich als sehr wirksam bewiesen. Es reicht aus, die Kunst in einen leuchtenden Kasten zu sperren, damit die Straßen sich mit Tönen und Kunsthandwerk füllen. Heute ist das Viertel Raval das bunteste, abwechslungsreichste und gleichzeitig einheitlichste Viertel der Stadt. Alles und alle sind auf ihrem Platz und an jeder Ecke scheint sich ein anderer Ort der Welt zu befinden.

MIDDLE
CLASSES 04

Sentados en la pared. Espectáculo callejero de Angie Hiesl

Seated on the wall. Street show by Angie Hiesl

An der Wand sitzend. Straßentheater von Angie Hiesl

Sant Pau. Institut d'Estudis Catalans

Biblioteca Nacional de Catalunya.
Antic hospital de la Santa Creu i Sant Pau, s XV

National Library of Catalonia.
Old hospital of Santa Creu i Sant Pau, 15th century

Biblioteca Nacional de Catalunya.
Antic hospital de la Santa Creu i Sant Pau, 15. Jh.

Institut d'Estudis Catalans / Hotel España, 1902 →

Església de Sant Pau del Camp, s X

Gat, 1989. Fernando Botero

La humanidad ha construido templos para pedir a los dioses que les librasen de la escasez. Pero también hay nuevos templos consagrados a la abundancia. El mercado de la Boqueria es uno de ellos. En realidad, más que un gran mercado es un pequeño museo de naturalezas muertas. De toda la gente que pasa algunos van a comprar, pero muchos van a recordar el color naranja de la naranja y el color carne de la carne, el olor de mar de los frutos del mar y el olor terrenal de los frutos de la tierra. La Boqueria es el ombligo del mundo de todos los mundos, la plaza cubierta donde se hace verdad el refrán latino *primum vivere, deinde philosophare*. Primero vivamos. Que la ciudad ya tendrá tiempo de dedicarse al pensamiento y a la duda.

Humanity has built temples to pray to the gods to free them from scarcity. There are also new temples, however, that are devoted to abundance. The market of the Boqueria is one of them. In reality, more than a large market it is a small museum of dead natural phenomena. Among all the people who pass through it, some go there to shop, but many go to recall the orange colour of the orange and the meaty colour of meat, the aroma of seafood and the earthy aroma of the produce of the land. The Boqueria is the heart of the earth of all worlds, the covered square where the Latin saying *primum vivere, deinde philosophare* comes true. First of all we live. The city will have time to dedicate itself to thought and doubt later.

Die Menschheit hat Tempel erbaut, um die Götter zu bitten, sie von der
Armut zu befreien. Aber es gibt auch neue Tempel, die dem Überfluss
geweiht sind. Der Markt Boqueria ist einer davon. In Wirklichkeit handelt
es sich eher um ein kleines Museum voller Stillleben als um einen großen
Markt. Von all diesen Menschen, die über diesen Markt schlendern, kaufen
einige ein, aber viele werden sich an die Farbe Orange der Orange oder
an die Fleischfarbe des Fleisches erinnern, an den Geruch des Meeres
der Meeresfrüchte und an den Geruch der Erde der Früchte der Erde.
Die Boqueria ist der Mittelpunkt der Welt aller Welten, die Markthalle,
in dem das lateinische Sprichwort *primum vivere, deinde philosophare*
zur Wahrheit wird. Lasst uns zuerst leben. Die Stadt wird schon Zeit
haben, sich dem Denken und dem Zweifel zu widmen.

BUFFET LIBRE

AQUEST NADA
EL VERMUT A 6

Izaguire Reserva 9/e
Izaguire 5 10/e
Viña del Val R.D. 5 90/e
Cava Quatre Barros. 8 50/e
Cava Montsarra

La *ferrissa* era una barra de hierro que se utilizaba antiguamente como unidad de medida en Barcelona. La *ferrissa*, que medía todo lo que entraba y salía de la ciudad, se encontraba en una de las antiguas puertas de acceso: La Porta Ferrissa.

The *ferrissa* is an iron bar that was once used as a unit of measure in Barcelona. The *ferrissa*, which measured everything that entered and left the city, was located in one of the old entrance gateways: the Porta Ferrissa.

Die *ferrissa* ist eine Eisenstange, die früher in Barcelona als eine Maßeinheit benutzt wurde. Die *ferrissa*, die alles maß, was in die Stadt gelangte oder sie verließ, befand sich an einem der alten Stadttore, La Porta Ferrissa.

Casa Martí «Els 4 Gats», 1895-1896. Josep Puig i Cadafalch

Farmàcia Masó. La Rambla

Plaça Catalunya

Ateneu Barcelonès →

Font de Canaletes. La Rambla

En el vértice de la antigua ciudad y de la ciudad del siglo XIX alguien se dejó un agujero sin edificar para que anidaran los estorninos, jugaran los niños y se atiborraran las palomas. Antes las plazas europeas eran el tributo de espacio debido a las catedrales góticas. Hoy la plaza de Catalunya es un espacio al servicio de los bancos y de los grandes almacenes. Pero es ante todo un punto de encuentro entre todos aquellos que quieren ser ciudadanos de Barcelona. En el centro de la plaza de Catalunya, en esta gran rosa de los vientos, siempre hay calma. Es el lugar donde todos los caminos están abiertos: centrípetos o centrífugos, de aquí sale todo y todo llega.

At the apex of Ciutat Vella and from the 19th-century city someone left a hole without buildings for the starlings to shelter in, the children to play in and the pigeons to fill. In the past European squares were the homage paid of the space owed to the Gothic cathedrals. Today the Plaça de Catalunya is a space at the service of banks and department stores. It is above all, however, a meeting place for all those who wish to be citizens of Barcelona. In the centre of Plaça de Catalunya, on this enormous compass, it is always peaceful. It is the spot where all paths are open. Centripetal or centrifugal, from this point everything leaves and everything arrives.

Am Scheitelpunkt der Ciutat Vella und der Stadt des 19. Jh. ließ man einen offenen Platz ohne Gebäude übrig, auf dem die Stare nisten, die Kinder spielen und sich die Tauben drängeln. Früher waren die europäischen Plätze der Tribut an freiem Raum, den man den gotischen Kathedralen verdankte. Heute ist der Plaça de Catalunya ein Ort, der im Dienste der Banken und großen Warenhäuser steht. Aber vor allem ist er der Treffpunkt für alle, die Bürger Barcelonas sein möchten. Im Zentrum des Plaça de Catalunya, in dieser großen Windrose, herrscht immer Ruhe. Es ist der Ort, an dem alle Wege offen sind. Zentripetal oder zentrifugal, hier strebt alles hin und führt alles weg.

Plaça Catalunya, 1925-1927

Palau de la Música Catalana, 1905-1908, Lluís Domènech i Montaner

Las capitales de países sin Estado tienen estas cosas. Los palacios no los ha hecho el dinero público. Ni tampoco los grandes mecenas. El arte ha surgido de la gente y así fue como un centenar de familias dedicadas al canto coral y al cultivo de la música contribuyeron a levantar en su pequeño solar esta pieza fundamental de la arquitectura modernista. Ni grandes avenidas ni grandes plazas. La belleza fue por dentro. Y del exceso de la piedra se destiló una de las salas con mejor acústica del mundo.

The capitals of nations without a State have these things. Public money has not built the palaces. Nor have grand patrons. Art has arisen from the people and that was how one hundred families dedicated to choral singing and the cultivation of music contributed to erecting this fundamental piece of modernist architecture on their small site. No grand avenues or grand squares. The beauty was inside. And the excess of stone resulted in one of the halls with the best acoustics in the world.

Die Hauptstädte von Ländern ohne Staat besitzen diese Eigenheiten. Die Paläste wurden nicht mit öffentlichen Geldern errichtet. Auch die großen Mäzenen verfügten nicht darüber. Die Kunst kam von den Menschen und so kam es, dass ungefähr hundert Familien, die sich dem Chorgesang und der Musik widmeten, dazu beitrugen, auf diesem kleinen Grundstück eines der wichtigsten Gebäude der modernistischen Architektur zu errichten. Weder große Alleen noch große Plätze. Die Schönheit ging nach innen. Und der Überfluss an Stein destillierte sich in einem der Konzertsäle mit der weltweit besten Akustik.

Palau de la Música Catalana

Un siglo después del arquitecto Domènech i Montaner llegó el arquitecto Tusquets a dignificar aquello que ya era digno. Hoy la armonía ya no queda dentro de las paredes. La gente que pasa cerca del Palau de la Música, calla. No sea que el ruido de la ciudad desvele a las musas.

A century after the architect Domènech i Montaner, the architect Tusquets came to dignify that which was already worthy. Today the harmony is no longer restricted to inside the walls. The people who pass near to the Palau de la Música stop talking lest the noise of the city awakens the muses.

Ein Jahrhundert nach dem Architekten Domènech i Montaner kam der Architekt Tusquets, um das mit Würden auszustatten, was schon würdig war. Heute bleibt die Harmonie nicht mehr zwischen den Wänden. Die Menschen, die am Palau de la Música vorübergehen, schweigen. Sonst könnte der Lärm der Stadt die Musen wecken.

Esgrafiados de diferentes épocas →
Sgraffito from different periods →
Kratzputz aus verschiedenen Epochen →

And suddenly the small city broke the straightjacket of the walls and went crazy. 'What a lot of property for development!' must have been the cry of the old conquerors of the great plain of Barcelona. And there, where over the centuries there had been orchards and country houses, there where the siege armies had been billeted, they began to design rectilinear streets. First the streets, then the houses. And a magnificent grid of squares covered the plain. And even in the square blocks Cerdà cut the corners off so that the crossroads were squares. And, then when everything was ready and planned, the madmen came and began to turn the stone into an elastic and mouldable material and, under the label "modernism" the windows were no longer rectangular and the roof tiles no longer the same

colour. The bonfire of the vanities had been lit and the wealthy fortunes of the period wished to distinguish themselves from the neighbouring fortune. The house in Barcelona would never be a castle but its ambition was to show the people of Barcelona who was capable of competing in audacity, originality, architecture and in the wages of so many craftsmen who gave shape to the geniality of the architects. Even humble folk such as those of the Orfeó Català caught the bug of the new style and erected the Palau de la Música in the narrow street where they owned the site. Stone had finally been given the power to speak. And even today its dreams reach us in a strange harmony.

Y de repente la pequeña ciudad rompió el corsé de las murallas y se volvió loca. ¡Cuanta propiedad inmobiliaria!, debieron exclamar los antiguos conquistadores del gran llano de Barcelona. Y allá donde en los siglos pasados habían existido huertos y masías, allá donde se habían acantonado los ejércitos asediadores, empezaron a diseñarse calles rectilíneas. Primero las calles, después las casas. Y una cuadrícula magnífica cubrió el plano. E incluso a los bloques cuadrados Cerdà les limó los ángulos para que las encrucijadas fueran plazas. Y, cuando todo estaba ya planificado, llegaron los locos y empezaron a hacer de la piedra una materia elástica y moldeable y, bajo la etiqueta *modernista*,

un único color. Se había inaugurado la hoguera de las vanidades y las fortunas de la época tenían ganas de distinguirse de la fortuna vecina. La casa, en Barcelona, nunca sería un castillo pero aspiraba a mostrar a los barceloneses quien era capaz de competir en audacia, originalidad, arquitectura y en los jornales de tantos y tantos artesanos que dieron forma a la genialidad de los arquitectos. Incluso gente humilde como la del Orfeó Català se contagió del nuevo estilo y levantó el Palau de la Música en el estrecho callejón que tenían en propiedad. Finalmente la piedra había conseguido hablar. Y todavía hoy sus sonidos nos llegan en una extraña armonía.

Und plötzlich durchbrach die kleine Stadt das Korsett ihrer Mauern und wurde wahnsinnig. Wieviel Immobilienbesitz!. Das riefen wohl die alten Eroberer der großen Ebene von Barcelona. Und dort, wo es in den vergangenen Jahrhunderten Gärten und Gutshöfe gab, dort, wo sich die belagernden Heere einquartiert hatten, wurden geradlinige Straßen angelegt. Zunächst die Straßen, dann die Häuser. Ein wundervolles Raster bedeckte den Plan. Und sogar bei quadratischen Wohnblöcken schnitt Cerdà die Winkel an, damit aus Kreuzungen Plätze würden. Als schließlich alles geplant war, kamen die Wahnsinnigen und begannen aus dem Stein eine elastische und formbare Materie zu machen, und unter der Bezeichnung „modernistisch" waren die Fenster plötzlich nicht mehr

rechteckig und die Dächer nicht mehr einfarbig. Der Jahrmarkt der Eitelkeiten war eröffnet und die Reichen der Epoche wollten sich von ihren wohlhabenden Nachbarn abheben. Das Haus in Barcelona würde niemals ein Schloss sein, aber es versuchte, den Bürgern zu zeigen, wer es in Wagemut, Originalität, Architektur und in den Tagelöhnen für so viele Handwerker, die der Genialität des Architekten die Form verliehen, mit den anderen aufnehmen konnte. Sogar einfache Menschen wie die vom Orfeó Català ließen sich von dem neuen Stil anstecken und errichteten den Palau de la Música in einer engen Gasse, in der sie ein Grundstück besaßen. Endlich hatten die Steine zu sprechen begonnen. Und noch heute erreichen uns ihre Träume in einer seltsamen Harmonie.

El día que desaparecieron los ángulos rectos debía ser de noche, porque durante mucho tiempo no se recuperaron. Al día siguiente el llano de Barcelona vio crecer las flores, vio volar pájaros y constató que las casas ya no tenían ventanas sino que tenían ojos. El modernismo es la traducción en piedra de la vanidad del dinero. Las fortunas de Barcelona quisieron demostrar a sus competidores que ellos eran cada vez más y más ricos y más audaces y encontraron en la arquitectura la posibilidad de expresarse. En estas fachadas está, naturalmente, el genio del arquitecto y la habilidad de los artesanos de la construcción. Pero también está la voluntad de la distinción. Unos arquitectos enloquecidos por la forma y una burguesía con ganas de lucir estaban condenados a encontrarse. Así fue como la locura de la piedra llegó a ser más valiosa que cualquier envarada distinción nobiliaria.

It must have been at night when the right angles disappeared, because they were not found again for a long time after. The next day the plain of Barcelona saw flowers grow and birds fly and noted that the houses no longer had windows but eyes. Modernism is the translation into stone of the vanity of money. The wealthy of Barcelona wanted to show their competitors that they were getting increasingly richer and bolder and found the possibility to express this desire in architecture. On these façades there is, naturally, the genius of the architect and the skill of the craftsmen who worked on the construction. Also present, however, is the willingness for distinction. Architects driven crazy by form and a bourgeoisie who wanted to show off were destined to meet each other. This was how the madness of stone came to be worth more than any stiff titled distinction.

Als die rechten Winkel verschwanden, musste es Nacht gewesen sein,
denn man hat sie eine lange Zeit nicht wiedergefunden. Und am Tag
darauf sah die Ebene von Barcelona Blumen wachsen, Vögel fliegen und
stellte fest, dass die Häuser keine Fenster mehr, sondern Augen hatten.
Der Modernismus ist die Übersetzung des Steines in die Eitelkeit des
Geldes. Die Reichen Barcelonas wollten ihren wohlhabenden Mitbürgern
zeigen, dass sie immer reicher und wagemutiger wurden. In der Architektur
fanden sie die Möglichkeit sich auszudrücken. In diesen Fassaden findet
man natürlich das Genie des Architekten und die Geschicklichkeit der
Bauarbeiter. Aber auch den Willen dazu, sich zu unterscheiden.
Die Architekten, die von der Form berauscht waren, und das
Großbürgertum, das sich zur Schau stellen wollte, waren dazu verurteilt,
aufeinander zu treffen. So kam es, dass der Wahn des Steines wertvoller
als jeglicher steifer Adelstitel wurde.

Casa Manuel Llopis, 1902-1903. Antoni M. Gallissà →

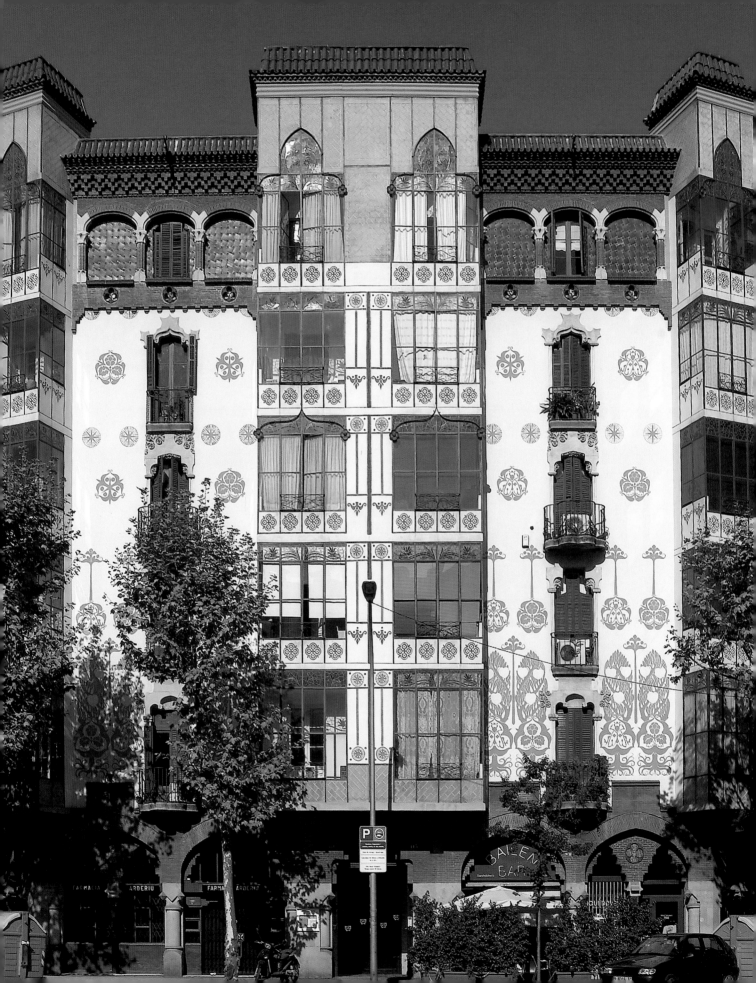

Casa Jeroni F. Granell, 1904. Jeroni F. Granell

Editorial Montaner i Simó, 1881-1886. Lluís Domènech i Montaner. Fundació Tàpies

Casa Comalat, 1909-1911. Salvador Valeri i Pupurull

Casa Sayrach, 1915-1918. Manuel Sayrach →

Casa Macaya, 1899-1901. Josep Puig i Cadafalch

Palau Quadras, 1899-1906. Josep Puig i Cadafalch →

Wie sind die Menschen von Barcelona? Schweigsam? Lärmend?
Diszipliniert? Anarchisch? Schmutzig? Sauber? Verschlossen? Anhänglich?
Die Menschen von Barcelona sind heute verschiedenartiger als je zuvor.
Doch sperren sie sich nicht in ihre Häuser ein und die Viertel sind keine
verbotenen Städte. Es existieren eine Zurückhaltung und ein Respekt, die
nicht auf die Blicke der Polizei zurückzuführen sind, sondern auf die
ungeschriebenen Regeln der Höflichkeit. Die Menschen von Barcelona
neigen heute dazu, die Stadt zu benutzen, ohne sie zu missbrauchen.
Die Menschen von Barcelona sind schüchtern, aber nicht ungesellig.
Und wenn es darum geht, auf das zu antworten, was die Stadt erbittet,
sind sie immer mehr, als sie zu sein glaubten.

¿Cómo es la gente de Barcelona? ¿Silenciosa? ¿Gritona? ¿Disciplinada? ¿Anárquica? ¿Sucia? ¿Limpia? ¿Cerrada? ¿Besucona? La gente de Barcelona es hoy más variada que nunca, pero no se queda en casa ni sus barrios son ciudades prohibidas. Existe una contención y un respeto que no viene dado por la mirada de los policías sino por las reglas no escritas de la civilidad. La gente de Barcelona tiende –hoy por hoy– a usar la ciudad sin abusar. La gente de Barcelona es tímida pero no es huraña. Y cuando se trata de responder a aquello que la ciudad le pide siempre acaban siendo muchos más de los que creen ser.

What are the people of Barcelona like? Quiet? Loud? Disciplined? Anarchic? Dirty? Clean? Closed? Always dishing out kisses? The people of Barcelona are today more varied than ever, but they do not stay at home and neither are their neighbourhoods no-go areas. There is a containment and respect that does not come from the stare of the police but rather from the unwritten rules of civility. The people of Barcelona tend –right now– to use the city without abusing it. The people of Barcelona are shy but not unsociable. And when responding to a request made by the city, they are always finally many more than they believe themselves to be.

Manifestación por la paz. 15 de febrero del 2003

1663 kilómetros de alcantarillado recorren el subsuelo barcelonés. El 35 % del recorrido es visitable.

Barcelona's underground drainage system is 1,663 kilometres long. 35% of the system can be visited.

Ein 1663 km langes Kanalnetz befindet sich im Untergrund Barcelonas. 35% davon können besucht werden.

Casa Amatller

Casa Manuel Felip, 1901. Telm Fernández i Janot

Farolas-banco del Passeig de Gràcia, 1906. Pere Falqués

Lamppost-bench in Passeig de Gràcia, 1906. Pere Falqués

Laternen-Bank am Passeig de Gràcia, 1906. Pere Falqués

Casa Terrades «Casa de les Punxes», 1903-1905. Josep Puig i Cadafalch

255

Coqueta, 1972. Josep Granyer

Las ciudades se pueden ver con telescopio y con microscopio. Una ciudad es una imagen de satélite pero es también el cajón donde la abuela ha guardado todos sus recuerdos. En las ciudades todos existimos en las cosas. Por eso nos cuesta tanto tirarlas y desprendernos de ellas. Y cuando no hay más remedio que prescindir de las cosas las entregamos a los demás para que les den un buen uso. En el mercado de Sant Antoni, los fines de semana, están todas las piezas que la ciudad necesita para no perder la memoria individual de cada ciudadano. Comprar y vender en este lugar significa la tasación del espíritu que hay en cada uno de los objetos expuestos. Parece como si las cosas cambiasen de manos pero en realidad continúan estando en las mismas manos de la sociedad que les permitió nacer.

You can see cities through both a telescope and a microscope. A city is a satellite image but it is also the drawer where grandma has guarded all her memories. In cities we all exist in objects. That is why we find it so hard to chuck them out and rid ourselves of them. And when we have no choice but to dispense with the objects we pass them on to someone else so that they can use them. At weekends in the Sant Antoni market are the items the city needs so that each citizen will not lose their individual memories. Buying and selling here represents the valuation of the spirit that exists in each object on display. It seems as if the objects change hands but in reality they continue to be in the same hands of the society that allowed them to be created.

Städte kann man mit einem Teleskop oder einem Mikroskop betrachten. Eine Stadt ist ein Satellitenbild, aber auch eine Schublade, in der die Großmutter alle ihre Erinnerungen aufbewahrt. In den Städten existieren wir alle in den Dingen. Deshalb ist es uns auch so schwer, sie wegzuwerfen und uns von ihnen zu lösen. Und wenn es wirklich nicht mehr anders geht und man auf die Dinge verzichten muss, dann übergeben wir sie anderen, die noch eine Verwendung für sie haben. Auf dem Markt Sant Antoni findet man an den Wochenenden all jene Dinge, die die Stadt braucht, um nicht die individuelle Erinnerung eines jeden Bürgers zu verlieren. An diesem Ort zu kaufen und zu verkaufen bedeutet eine Wertbestimmung des Geistes, den es in jedem der ausgestellten Objekte gibt. Es scheint, als ob die Dinge in andere Hände übergehen, aber in Wirklichkeit bleiben sie in Händen der Gesellschaft, aus der sie geboren wurden.

Mercat de Sant Antoni

Hospital de la Santa Creu i Sant Pau, 1902-1911.
Lluís Domènech i Montaner →

Hospital de la Santa Creu i Sant Pau, 1902-1911/1913-1930. Ll. Domènech i Montaner

L'Eixample

Temple de la Sagrada Família, Antoni Gaudí

Casa Batlló, 1904-1907. Antoni Gaudí →

Casa Batlló, 1904-1907. Antoni Gaudí

Casa Milà, «La Pedrera», 1906-1912. Antoni Gaudí →

A los méritos artísticos y arquitectónicos de Gaudí debe añadirse el mérito de haber sabido seducir a sus clientes para persuadirlos de que le dieran carta blanca. Cualquier rincón, pináculo, baranda o ventana, techo o puerta de entrada fueron convertidos por Gaudí en piezas únicas donde se proyectaban tanto las formas perfectas de la naturaleza como las formas alocadas de la imaginación. Aquello que hoy dignifica la ciudad fue ridiculizado por la prensa de la época. Con el paso de los años nos ha quedado la constancia de que el universo Gaudí no se limita a los grandes edificios sino que penetra en los detalles de la vida cotidiana. Desde una silla a las grandes cúpulas, desde el pomo de una puerta al banco público, Gaudí demostró que en el gran arte no hay géneros menores.

To the artistic and architectural merits of Gaudí should be added that of his ability to seduce his clients to persuade them to give him a totally free hand. Every corner, pinnacle, railing or window, ceiling or entrance door were turned into unique pieces by Gaudí which projected both the perfect forms of nature and the wild forms of the imagination. That which today dignifies the city was ridiculed by the press of the time. As the years have gone by, we have come to realise that Gaudí's universe is not restricted to the grand buildings but that it penetrates the smallest details of daily life. From a chair to the grand domes, from the doorknob to the public bench, Gaudí showed that in great art there are no minor genres.

La Pedrera

Zu den Verdiensten Gaudís als Künstler und Architekt muss auch seine
Überzeugungskraft hinzugerechnet werden. Er brachte seine Kunden dazu,
ihm völlig freie Hand zu lassen. Jeder Winkel, Giebel, Geländer oder Fenster,
Dach oder Eingangstür wurden von Gaudí in ein einzigartiges Element
verwandelt, in dem man nicht nur die perfekten Formen der Natur, sondern
auch die verrückten Formen der Fantasie finden kann. Das, was die Stadt heute
so wertvoll macht, wurde von der damaligen Presse ins Lächerliche gezogen.
Nachdem nun so viele Jahre vergangen sind, haben wir die Gewissheit, dass das
Universum Gaudís sich nicht auf die großen Gebäude beschränkt hat, sondern
bis in die Einzelheiten des täglichen Lebens vorgedrungen ist. Angefangen bei
einem Stuhl bis hin zu den großen Kuppeln, vom Türknauf bis zur Parkbank
hat uns Gaudí bewiesen, dass es in der Kunst keine kleineren Genres gibt.

La Pedrera / Torre de Bellesguard →
Col·legi de les Teresianes, 1888-1890 →→

Palau Güell, 1886-1888. Antoni Gaudí

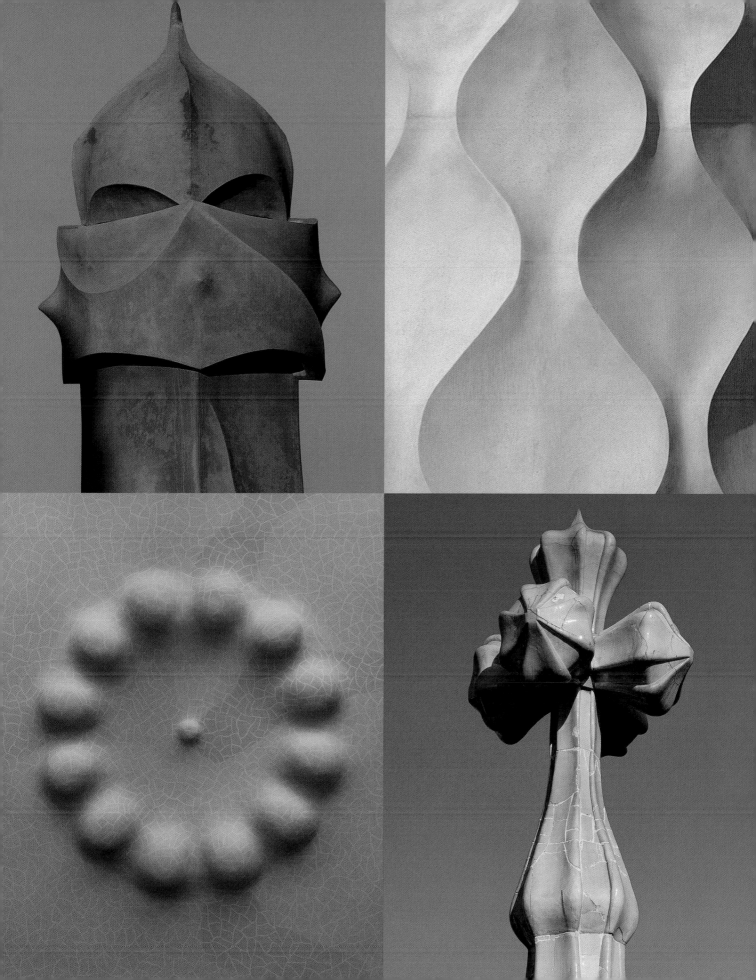

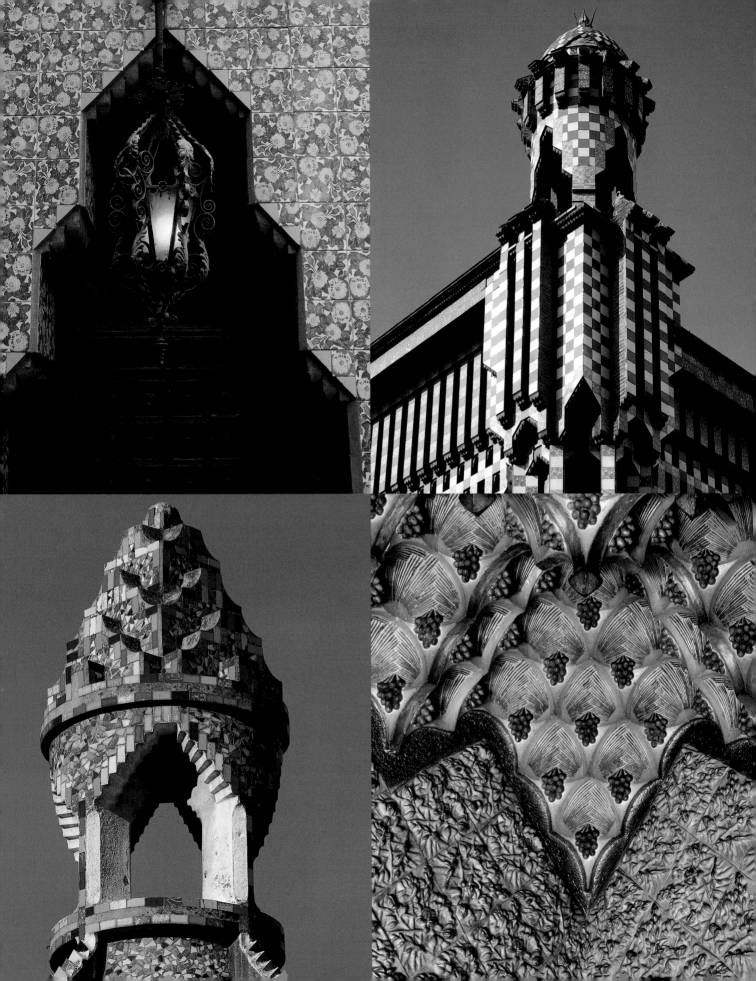

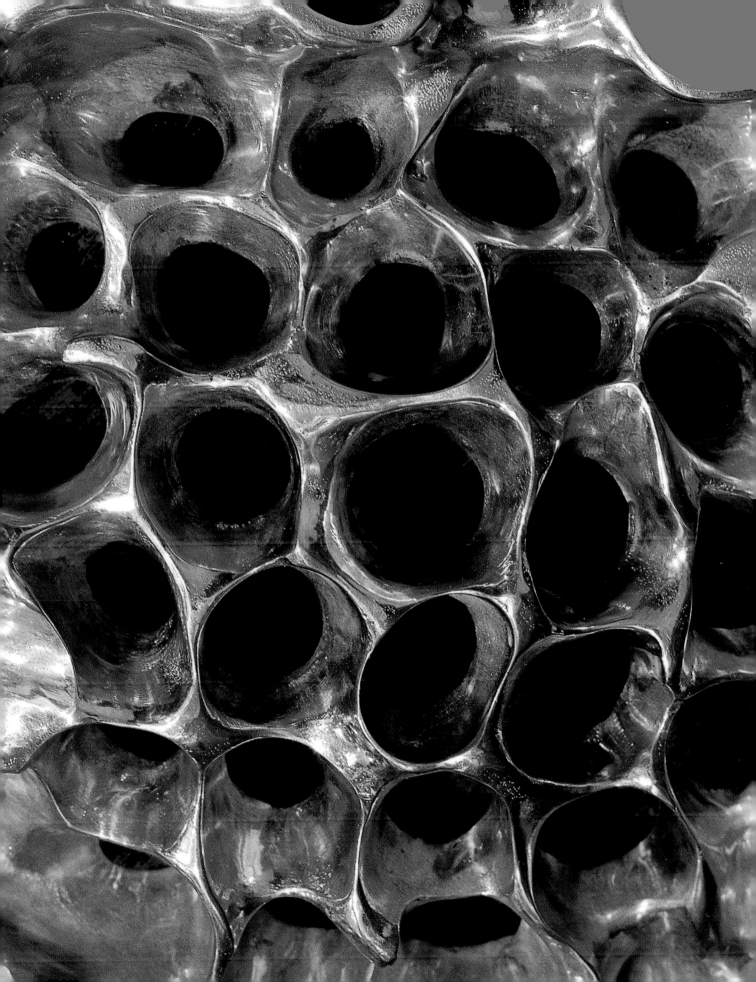

Se hace difícil definir el color de las ciudades. Pero a veces el color sale de la suma de muchos colores. De baldosas rotas nace la policromía que brilla bajo el gris de la lluvia. La luz mediterránea pasa por el filtro de los vidrios de Gaudí, dibuja sombras e inventa movimientos hasta que los ojos del paseante se convierten en calidoscopios. Ensalzando los colores de Gaudí las piedras son de algodón y los vidrios parecen alas de mariposa.

It is a difficult task describing the colour of cities. Sometimes, nonetheless, the colour comes from the sum of many colours. From broken tiles comes the polychrome that sparkles beneath the grey of the rain. The Mediterranean light filters through Gaudí's windows, draws shadows and invents movements until the eyes of the passer-by are turned into kaleidoscopes. Extolling the colours of Gaudí the stones are made of cotton and the windows seem like butterfly wings.

Es ist schwierig, die Farben der Städte zu definieren. Aber manchmal ist die Farbe die Summe vieler Farben. Aus zerbrochenen Kacheln entsteht eine Vielfarbigkeit, die unter dem Grau des Regens leuchtet. Das Licht des Mittelmeers wird von den Gläsern Gaudís gefiltert, es zeichnet Schatten und erfindet Bewegungen, bis die Augen des Vorübergehenden zu einem Kaleidoskop werden. Wenn man die Farben Gaudís preist, sind die Steine aus Baumwolle und die Gläser gleichen Schmetterlingsflügeln.

Torre de Bellesguard / Park Güell

Se suele hablar de los parques de las ciudades como los grandes pulmones verdes. Hay ciudades que van sobradas de pulmones. Pero Barcelona ocupa una franja de tierra donde se ha hecho de la densidad virtud y, sólo recientemente, los parques han ido emergiendo, no tanto como pulmones, sino como islas. Algunos parques son antiguos y sus árboles demuestran que tienen vocación de perennidad. Otros son parques recuperados de espacios imposibles: una antigua cantera, una

carretera de cornisa, un laberinto de cipreses, cualquier cosa ha servido para llegar a un pacto entre la naturaleza domesticada y los ciudadanos con ganas de chafar superficies salvajes. Y en medio de una de las colinas de Barcelona, como si allá se hubieran roto todos los azulejos de todos los colores, el Park Güell es la demostración de que la materia siempre acaba reencarnándose tal vez para mejorar. En el Park Güell la entrada es libre para todo y para todos excepto para el ángulo recto.

Man pflegt die Parks als die grünen Lungen der Städte zu bezeichnen. Manche Städte haben sehr viele Lungen. Aber Barcelona liegt auf einem Streifen Land, auf dem man aus der Dichte eine Tugend gemacht hat, und erst in der neueren Zeit entstanden Parks, jedoch nicht als Lungen, sondern als Inseln. Manche Parks sind schon sehr alt und ihre Bäume scheinen der Ewigkeit zu trotzen. Andere Parks wurden dort angelegt, wo es unmöglich schien, in einem alten Steinbruch, an einer Straße, die über einem Abgrund verläuft, in einem Labyrinth aus Zypressen, alle möglichen Orte wurden benutzt, um diesen Pakt zwischen der gezähmten Natur und den Menschen, die sich die Wildnis zurückwünschen, zu schließen. Und mitten auf einem der Hügel von Barcelona, so als ob hier Kacheln aller Farben zerbrochen wurden, zeigt der Park Güell, dass die Materie immer wieder neu geboren wird, vielleicht zu etwas Besserem. Im Park Güell genießen alles und alle freien Eintritt, nur die rechten Winkel nicht.

Park Güell

Park Güell

Parc del Laberint d'Horta, s XVIII. Doménico Bagutti

Barrio de Gràcia. District of Gràcia. Viertel Gràcia. →

Monestir de Santa Maria de Pedralbes, s XIV

Parc de l'Espanya Industrial, 1981-1985. Luis Peña i Francesc Rius /
Parc de la Creueta del Coll, 1981-1987. Oriol Bohigas, Josep M. Martorell i David Mackay →

Cosmocaixa, 2004. Robert i Esteve Terradas

Desde Collserola la tarde va dorando la ciudad mientras los barceloneses la vigilan. La carretera de Les Aigües, antiguo camino que servía para atender los depósitos de agua que alimentaban la parte alta de la ciudad, es hoy un paseo para los coleccionistas de perspectivas. Este gran anfiteatro barcelonés se ha ido consagrando a la ciencia y a la tecnología: la cúpula del antiguo Observatorio Fabra, las nuevas instalaciones de Cosmocaixa y el punto de admiración de la gran torre de comunicaciones de Norman Foster han ido ganando terreno al antiguo templo expiatorio donde se perdonaban, decían, todos los pecados del mundo. Aquí incluso el tranvía azul discurre con una cadencia estrictamente humana. A un lado, el piar de los pájaros. Al otro el estruendo de todos los motores de la ciudad incansable. Y al fondo, el mar de todos los azules.

From Collserola the early evening gradually gilds the city while the people of Barcelona watch over it. The Les Aigües road, an old pathway that was used as access to the water deposits that supplied the high part of the city, is today an outing for collectors of perspectives. This great amphitheatre of Barcelona has been devoted to science and technology: the dome of the old Fabra Observatory, the new installations of Cosmocaixa and the viewpoint from Sir Norman Foster's massive communication tower have gained ground over the expiatory temple where, they say, all the sins in the world were pardoned. Here even the blue tram runs at a strictly human rhythm. On one side the chirping of the birds: on the other side the din of all the motors of the untiring city and in the background, the sea of all shades of blue.

Von Collserola aus vergoldet der Abend die Stadt, während die Barcelonesen ihn bewachen. Die Carretera de Les Aigües, der alte Weg, der zu den Wasserspeichern führte, die den oberen Teil der Stadt versorgten, ist heute ein Spazierweg für die Sammler von Aussichten. Dieses große Amphitheater in Barcelona wurde der Wissenschaft und Technologie geweiht. Die Kuppel des alten Observatoriums Fabra, die neuen Anlagen von Cosmocaixa und als besonderer Anziehungspunkt der große Kommunikationsturm von Norman Foster haben dem ehemaligen Sühnentempel, in dem, wie man sagte, alle Sünden der Welt verziehen wurden, Platz abgerungen. Hier fährt sogar die blaue Straßenbahn, tranvía azul genannt, in einem streng menschlichen Rhythmus. Auf einer Seite, der Gesang der Vögel. Auf der anderen der Lärm aller Motoren einer unermüdlichen Stadt. Und im Hintergrund, das Meer aller Blautöne.

Observatori Fabra, 1904. Josep Domènech i Estapà

Carretera de les aigües
Tranvía azul. Blue Tram. Die blaue Straßenbahn. →

Torre de Telecomunicaciones de Collserola, 1992. Norman Foster

Telecommunications Tower of Collserola, 1992. Sir Norman Foster

Kommunikationsturm von Collserola, 1992. Norman Foster

Temple Expiatori del Sagrat Cor, 1961. Enric i Josep M. Sagnier

Parque de atracciones del Tibidabo. Tibidabo Amusement Park. Vergnügungspark Tibidabo.

Esta montaña fue un día faro y cantera. Fue amiga de la ciudad cuando sirvió para defenderse de los adversarios pero también fue enemiga cuando giró sus cañones sobre sus calles. Montjuïc fue el cadalso de los leales y es todavía el reposo de todos. Fue la cuna de las barracas y el podio de las glorias olímpicas. Ahora la montaña es un símbolo del conocimiento y del equilibrio. Una nueva Acrópolis acoge museos, teatros, negocios y enamorados. Desde sus terrazas Barcelona está al alcance. En esta montaña se conservan pinturas románicas y la pintura todavía fresca de los últimos creadores. El presente y el pasado, la vida y los muertos, el proyecto y la memoria han encontrado en esta montaña de dimensiones dulces un marco común. Las piedras de la ciudad vienen de allí y esto le da ese carácter maternal, como una mujer apoyada sobre el plano. La cabeza cerca del mar y la piernas estiradas para que los barceloneses le hagan cosquillas.

This mountain was once a lighthouse and quarry. It was a friend to the city when it acted to defend it from its adversaries, but it was also an enemy when it turned its cannons on its streets below. Montjuïc was the scaffold of the loyalists and is still a resting place for all. It was the nesting place of the shantytowns and the podium of Olympic glories. Today the mountain is a symbol of knowledge and harmony: a new Acropolis that houses museums, theatres, business and lovers. From its terraces Barcelona is within reach. This mountain plays host to Romanesque paintings and paintings still wet, produced by the most recent creative artists. The present and the past, life and the dead, the projected future and the memory have found a common framework on this gently sized mountain. The stones of the city come from here and this gives it a maternal nature, like a woman resting over the plain. The head close to the sea and the legs stretched out so that the people of Barcelona can tickle her.

Dieser Berg war einst ein Leuchtturm und Steinbruch. Er war ein Freund der Stadt, als man sie vor den Feinden schützen musste, aber er war auch Feind, als er seine Kanonen in die Straßen richtete. Montjuïc war das Schafott der Treuen und ist immer noch ein Ort der Ruhe für alle. Er war die Wiege der Kasernen und das Podium des olympischen Ruhms. Jetzt ist der Berg ein Symbol für das Wissen und das Gleichgewicht. Eine neue Akropolis, in der sich Museen, Theater, Geschäftsräume und Verliebte befinden. Von den Terrassen des Montjüics aus ist Barcelona ganz nah. Auf diesem Berg werden romanische Gemälde und Bilder, die gerade erst entstanden sind, aufbewahrt. Die Gegenwart und die Vergangenheit, das Leben und die Toten, das Projekt und die Erinnerung haben auf diesem Berg die süßen Dimensionen eines gemeinsamen Rahmens gefunden. Die Steine der Stadt kamen von hier und das gibt ihm einen fast mütterlichen Charakter, wie eine Frau, die sich auf eine Ebene stützt. Der Kopf in der Nähe des Meeres und die Beine ausgestreckt, damit die Barcelonesen sie kitzeln können.

Montjuïc /
Palau Nacional, MNAC (Museu Nacional d'Art de Catalunya)

MNAC

Antigua fábrica Casaramona, sede del espacio cultural Caixa Forum

The old Casaramona factory, now the Caixa Forum cultural centre

Die ehemalige Fabrik Casaramona, Sitz der Kulturstiftung

Montjuïc es la pequeña Acrópolis de Barcelona. Entre los bosques aparecen palacios de arte y de deportes, de teatro y de debate. En la Fundación Miró, el arte contemporáneo y el legado de Joan Miró consiguen el milagro de hacer que todos los visitantes de estas salas perfectas acaben siendo más guapos de lo que realmente son y lleguen a creer que el mejor cuadro puede ser la ventana.

Montjuïc is the small acropolis of Barcelona. From among the woods emerge palaces of art and sports, of theatre and of debate. In the Miró Foundation, contemporary art and the legacy of Joan Miró achieve the miracle of making all the visitors of these perfect halls end up being more beautiful than they really are and making them believe that perhaps the best painting might be the window.

Der Montjuïc ist die kleine Akropolis von Barcelona. Zwischen den Wäldern erscheinen Kunst- und Sport-, Theater- und Kongresspaläste. In der Fundació Miró bewirken die zeitgenössische Kunst und das Vermächtnis von Joan Miró das Wunder, dass alle Besucher dieser perfekten Säle schöner werden, als sie in Wirklichkeit sind und zu dem Schluss kommen, dass das beste Bild das Fenster sein könnte.

Fundació Joan Miró, 1972-1975. Josep Lluís Sert

Fundació Joan Miró

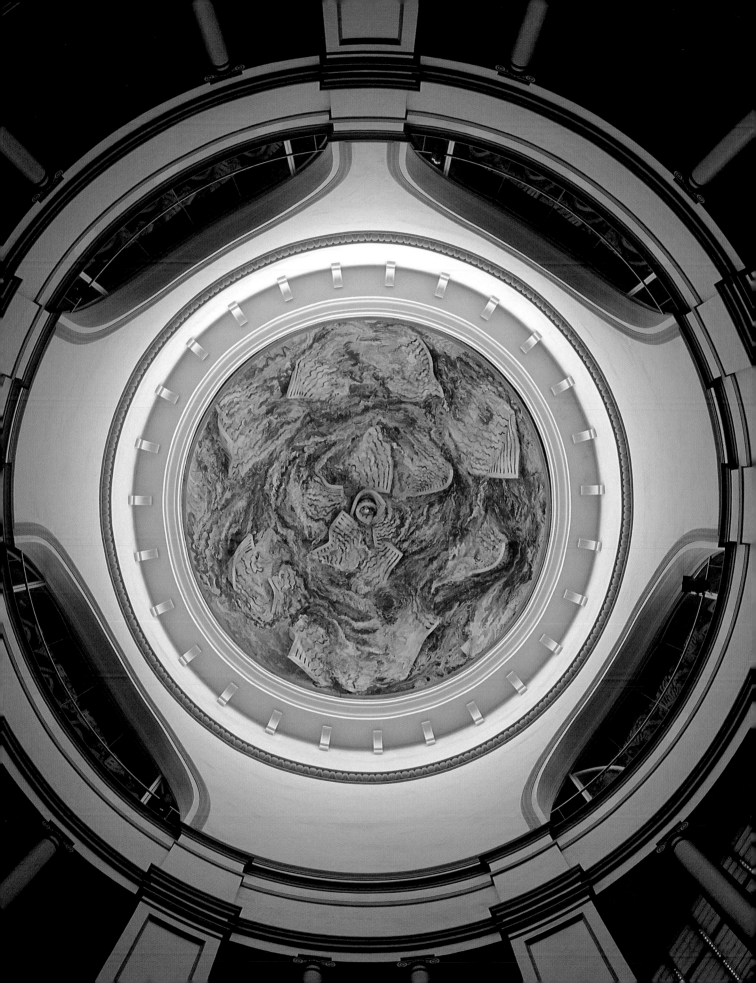

Techos pintados en los vestíbulos de la Ciudad del Teatro y techos estrellados en las noches de verano del Teatre Grec. Cualquier lugar es bueno para que la sociedad se reencuentre como pueblo y escuche en silencio el retrato y también las dudas que nos ofrecen desde los escenarios, allí donde se demuestra que la palabra bien dicha, cura.

Painted ceilings in the lobbies of the City of Theatre and star-filled ceilings on the summer nights of the Teatre Grec festival. Anywhere is a good place for society to meet up as a people and listen in silence to the portrayal and also the doubts offered to us from the stages, the place where it is shown that the well-spoken word is a healer.

Bemalte Decken in den Foyers der Ciudad del teatro und Sternendecken in den Sommernächten im Teatre Grec. Jeder Ort ist geeignet, damit die Gesellschaft sich als Volk trifft und schweigend dem Bild und auch den Zweifeln lauscht, die auf den Bühnen gezeigt werden, dort, wo bewiesen wird, dass ein richtig gewähltes Wort heilend wirkt.

Teatre Grec

← Mercat de les Flors

Palau Sant Jordi, 1990. Arata Isozaki →
Plaça d'Espanya / Font Màgica →→

Aquello que en los primeros años del siglo XVIII fue una ciudadela para vigilar la ciudad sublevada y vencida, hoy es el gran ámbito donde la gente se encuentra para dejar pasar las horas y donde los representantes del pueblo hacen sus leyes. Museos y auditorios, teatros y bestias hacen que este espacio que fue patrimonio de los cañones ahora sea un permanente parque de la paz.

The place that in the early part of the 18th century was a citadel to watch over the risen up and defeated city, is today the area where people go to pass a few hours and where the people's representatives make their laws. Museums and auditoriums, theatres and beasts make this space that was once the domain of cannons into what is now a permanent park of peace.

Das, was in den ersten Jahren des 18. Jh. eine Zitadelle war, um die aufgewiegelte und besiegte Stadt zu bewachen, ist heute ein großer Park, wo die Leute sich treffen, um die Stunden vergehen zu lassen, und wo die Volksvertreter ihre Gesetze machen. Museen und Auditorien, Theater und Tiere machen aus diesem Ort, der den Kanonen gehörte, einen Park des Friedens.

Parc de la Ciutadella

Parc de la Ciutadella

Parc Zoològic →

Cafè-Restaurant. Museu de zoologia, 1888. Lluís Domènech i Montaner

Arc del Triomf. 1888. Josep Vilaseca

Si decimos «el edificio más alto» no estamos diciendo ningún valor. Las dimensiones son únicamente dimensiones, es la belleza la que hace que recordemos las obras del hombre. En Barcelona no se trata de ganar altura. La altura se tiene que ganar con autoridad. Un edificio cilíndrico que busca el cielo con su punta no es ni mejor ni peor que el tejado policromado de un mercado de una sola planta. La ciudad no tiene espacio para crecer, pero intenta encontrarse a sí misma y sorprenderse cada década. Peces dorados, tímpanos y arquitrabes que acogieron a los antiguos y que ahora acogen a los modernos, aguas encantadas donde pervive la vela latina, enormes cajas de músicas y hoteles que hurgan las nubes. Son las nuevas catedrales del siglo XXI. En la calle la pequeña silueta humana recibe el beneficio de la grandeza.

If we say "the tallest building" we are not making any value judgement. The dimensions are simply dimensions, and it is beauty that makes us remember the works of man. In Barcelona it is not about gaining height. Height must be won with authority. A cylindrical building that reaches for the sky with its tip is no better or worse than the polychromed roof of a single-storey market building. The city has no space for growth, but tries to find itself and surprise itself every decade. Gilded fish, tympanums and architraves that housed the old and which now house that which is modern, delightful waters where the lateen sail still survives, enormous musical boxes and hotels that touch the clouds. They are the new cathedrals of the 21st century. In the street the small human silhouette gets the benefit of grandeur.

Wenn wir „das höchste Gebäude" sagen, geben wir damit noch keinen Wert
an. Abmessungen sind nur Abmessungen, aber es ist die Schönheit, die das
Werk des Menschen unvergesslich macht. In Barcelona versucht man nicht,
an Höhe zu gewinnen. Die Höhe muss man mit Autorität gewinnen.
Ein zylindrisches Gebäude, das den Himmel nur mit seiner Spitze sucht,
ist nicht besser und nicht schlechter als das bunte Dach einer einstöckigen
Markthalle. Die Stadt hat keinen Platz zum wachsen, aber sie versucht,
sich in sich selbst zu finden und in jedem Jahrzehnt aufs Neue überrascht
zu werden. Goldene Fische, Tympanons und Architrave, die Menschen der
Vergangenheit aufnahmen und jetzt die Menschen der Moderne empfangen,
verzaubertes Wasser, auf dem das Lateinsegel weiterlebt, große Musikkästen
und Hotels, die an den Wolken kratzen. Das sind die neuen Kathedralen
des 21. Jh.. Auf der Straße kommt der kleinen menschlichen Silhouette
der Nutzen der Großartigkeit zugute.

Plaça de les Glòries, 1992. J. A. Acebillo /
Pont Bac de Roda, 1987. S. Calatrava →

Torre Agbar, 2005. Jean Nouvel →→

Auditori Municipal de Barcelona, 1988-1998. Rafael Moneo

Teatre Nacional de Catalunya, 1987-1997. Ricardo Bofill

Can Saladrigas

← Mercat dels Encants

En este barrio, el Poble Nou, que años atrás fue considerado la fábrica de España, hoy las chimeneas de vapor ya no humean. Los antiguos caminos del trabajo ahora están llenos de niños que juegan y las playas que se tiñeron de sangre con las ejecuciones de después de la Guerra Civil ahora son una invitación a la democrática pereza de los bañistas. La ciudad del ocio y del sol ha ido invadiendo aquella Barcelona de las fraguas, del humo y de la grasa. La industria de hoy dicen que es limpia y silenciosa. Un nuevo barrio –el distrito 22@– está creciendo sobre el barrio viejo y acoge, poco a poco, actividades e invenciones a medio camino entre la realidad y la magia. Las grúas de la construcción son hoy el gran monumento dinámico que da vida a un Poble Nou novísimo.

In this district, Poble Nou, which in years gone by was considered the factory of Spain, today the steam chimneys no longer steam. The old work pathways are now full of children playing and the beaches that were tinged with blood from the executions after the Civil War are now an invitation to the democratic laziness of the bathers. The city of leisure and sun has gradually invaded that Barcelona of forges, smoke and grease. They say the industry of today is clean and silent. A new district –district 22@– is growing over the old district and slowly houses activities and inventions half way between reality and magic. The construction cranes are today the grand dynamic monuments that give life to an extremely new Poble Nou [New Town].

In diesem Viertel, Poble Nou, das vor Jahren als die Fabrik Spaniens betrachtet wurde, kommt heute kein Rauch mehr aus den Schornsteinen. Die ehemaligen Arbeitswege sind nun voller spielender Kinder und die Strände, die während der Hinrichtungen im Bürgerkrieg von Blut getränkt waren, sind heute eine Einladung an die demokratische Faulheit der Badenden. Die Stadt der Freizeit und der Sonne hat jenes Barcelona der Schmieden, des Rauches und des Schmieröls erobert. Man sagt von der Industrie der Gegenwart, dass sie sauber und leise ist. Das neue Viertel – der Distrikt 22@ - wächst auf dem alten Viertel und nimmt allmählich die Aktivitäten und Erfindungen auf, die auf halbem Weg zwischen der Wirklichkeit und der Magie liegen. Die Baukräne sind heute das große, dynamische Monument an das Leben in einem ganz neuen Poble Nou (Neues Dorf).

Fort Pienc, 2003. Josep Llinàs

La Farinera del Clot

Dona i ocell, 1983. Joan Miró / *Mistos*, 1992. Claes Oldenburg /
Cap de Barcelona, 1998. Roy Lichtenstein →

Homenatge a Picasso, 1983. Antoni Tàpies

Elogi de l'aigua, 1987. Eduardo Chillida

1 *David i Goliat*, 1993. A. Llena / 2 *Ones*, 2003. A. Alfaro /
3 *Escullera*,1988. J. Plensa / 4 *Dime, dime, querido*, 1986. S. Solano /
5 *Poema Visual*, 1984. J. Brossa / 6 *Marc*, 1997. R.Llimós /
7 *Forma i espai*, 1966. E. Serra / 8 *Monument a S. Roldán*, 1999. E. Úrculo →

Pèrgoles a l'avinguda Icaria, 1992. Enric Miralles

← Mercat de Santa Caterina, 2005. Benedetta Tagliabue

Parc de Diagonal Mar, 2002. Enric Miralles i Benedetta Tagliabue →

Pocos nombres de calle son tan explícitos como la avenida Diagonal. Es nombre y descripción. Interrumpida durante muchos años ahora ya es una línea que cruza la ciudad sin partirla. La Diagonal ha llegado finalmente allá donde las casas, el mar y el río componen el origen y el final de todo. Si alguna vez ha habido un tranvía llamado deseo ha sido este vehículo blanco y verde que ha puesto las costuras a un antiguo trozo desgarrado de Barcelona.

Few street names are as explicit as that of the Avenida Diagonal. It is both name and description. Unbroken for many years now, it is a line that crosses the city without partitioning it. The Diagonal has finally reached the point where the houses, the sea and the river make up the origin and the end of everything. If at any time there has been a streetcar named Desire it was this green and white vehicle that has put the fashionable seaming into an old ripped rag of Barcelona.

Wenige Straßennamen sind so explizit wie Avinguda Diagonal, die
diagonale Allee. Es ist gleichzeitig Name und Beschreibung. Jahrelang war
sie unterbrochen, doch nun ist sie eine Linie, die die Stadt durchkreuzt,
ohne sie zu teilen. Die Diagonal ist endlich dort angekommen, wo die
Häuser, das Meer und der Fluss den Ursprung und das Ende von allem
bilden. Wenn es irgendwann einmal eine Endstation Sehnsucht gab,
dann hielt dieses weiß-grüne Fahrzeug, das die Nähte an einem alten,
abgerissenen Fetzen von Barcelona angebracht hat, dort.

And finally, in the most forgotten corner of the city forms and reflections have sprouted. The Forum area was no-man's land and is now the land where all is possible. From the Temple of Poseidon on Cape Sounio to the huge photovoltaic plaque, the same rite of adoration of the sun is carried out. Bridges and doors, meeting places. Architecture is no longer a pretext for individuality but rather for the gathering of

people from all over the world that meet in the great democratic public squares and in the forges of debate. It can never be said that a city is complete. We have left the tiny private room, however, and Barcelona has found spaces that are much more public. It is the space where thoughts are made. And the city is today an invitation to rethink about the world and, if possible, redirect it.

Y finalmente, en el ángulo más olvidado de la ciudad han florecido formas y reflexiones. El Forum era la tierra de nadie y ahora es la tierra donde todo es posible. Desde el templo de Sunion hasta la gran placa fotovoltaica se cumple el mismo rito de adoración solar. Puentes y puertos, lugares de encuentro. La arquitectura ya no es un pretexto

mundo que se reúne en las grandes plazas democráticas y en las fraguas del debate. No se puede decir nunca que una ciudad está completa. Pero hemos salido de la salita íntima y Barcelona ha encontrado espacios para muchas ágoras. Es el espacio el que hace el pensamiento. Y la ciudad es hoy una invitación para repensar el mundo y, si puede

Und schließlich sind in den vergessensten Winkeln der Stadt Formen und Gedanken entstanden. Das Forum war Niemandsland, und jetzt ist es ein Land, in dem alles möglich ist. Seit der Zeit von Sunion bis zur großen Solarplatte wird der gleiche Ritus der Sonnenanbetung fortgesetzt. Brücken und Häfen, Treffpunkte. Die Architektur ist jetzt nicht mehr der Vorwand für die Individualität, sondern für das Zusammentreffen von Menschen der ganzen Welt, die sich auf den großen, demokratischen Plätzen und den Diskussionsrunden treffen. Man kann nie sagen, dass eine Stadt vollendet ist. Aber wir sind aus den kleinen Sälen herausgegangen und Barcelona hat Plätze für große Agoren gefunden. Es ist der Ort, der die Gedanken macht. Die Stadt stellt heutzutage eine Einladung dar, um neu über die Welt nachzudenken, und wenn es möglich ist, sie in neue Bahnen zu lenken.

En el verano del 2004 las culturas del mundo han llegado a la gran explanada del Forum. No era una feria. Tampoco una competición. El Forum Universal de las Culturas fue una afirmación en el diálogo y en la igualdad de todos los pueblos de la Humanidad. Ahora que el Forum ya sólo es el recuerdo queda en el ámbito de lo intangible la impronta de aquellos meses en los que el espectáculo, la reflexión y el respeto mutuo hicieron una ciudad más completa y una ciudadanía moralmente mejor.

In the summer of 2004 the cultures of the world arrived at the large level area of ground of the Forum. It was not a fair. Nor was it a competition. The Universal Forum of the Cultures was an affirmation in dialogue and in the equality of the peoples of Humanity. Now that the Forum is just a memory, what remains as intangible is the stamp of those months in which spectacle, reflection and mutual respect made a city more complete and a morally better citizenry.

Im Sommer 2004 kamen die Kulturen der Welt zu dieser großen
Esplanade im Forum. Es war kein Jahrmarkt und auch kein Wettbewerb.
Das Universelle Kulturforum war die Bejahung des Dialogs und der
Gleichberechtigung aller Völker der Erde. Jetzt bleiben vom Forum nur
die Erinnerung und auf immaterieller Ebene ein Abdruck jener Monate,
in denen die Aufführungen, das Nachdenken und der gegenseitige Respekt
die Stadt kompletter und die Bürger moralisch besser machten.

Placa Fotovoltaica, 2004. Elies Torres i J. Antonio Martínez
Edifici Forum, 2004. Herzog & De Meuron

Diagonal Mar / Vista del Forum desde el Hotel Princess →
Diagonal Mar / View of the Forum from the Hotel Princess →
Diagonal Mar / Blick aufs Forum von Hotel Princess aus →

Cubos de las Buenas Ideas. The Good Idea Boxes. Würfel der guten Ideen.
Forum 2004

Centre de Convencions Internacional de Barcelona (CCIB), 2004. Jose Luis Mateo →

Fòrum Universal de les Cultures. 2004

Es necesaria la oscuridad para que las dudas brillen y la belleza se exprese. Las exposiciones del Forum 2004 quedarán como grandes momentos en el recuerdo de aquellos que las visitaron. La textura de los guerreros de Xi'an, la reflexión sobre la construcción de las ciudades, la necesidad perentoria de evitar que el mundo camine hacia el desastre o la exaltación de todas las voces del mundo que nos hacen iguales a todos pero con acentos diferentes. Otros Forum en otros lugares del planeta vendrán después a continuar este trabajo. Siempre será necesario decir que todo comenzó en Barcelona. Y las voces diferentes expresarán la misma ilusión de hacer que los mundos se muevan. El mundo en el que tendríamos que caber todos y el pequeño mundo de cada uno.

Darkness is necessary so that doubts sparkle and beauty expresses itself. The exhibitions of the Forum 2004 will stand as great moments in the memories of those who visited them. The texture of the warriors of Xian, the reflection about the construction of cities, the urgent need to avoid the world walking towards disaster or the exaltation of all the voices of the world that make us all equal but with different accents. Other Forums in other parts of the planet will come later and continue this work. It will always be necessary to say that it all began in Barcelona. And the different voices will express the same dream of making the worlds move. The world in which we will all have to fit into and the small world of each an every one of us.

Man braucht die Dunkelheit, damit die Zweifel leuchten und die Schönheit zum Ausdruck kommt. Die Ausstellungen des Forum 2004 bleiben als große Momente in der Erinnerung derjenigen zurück, die sie besuchten. Die Textur der Krieger von Xi'an, das Nachdenken über den Städtebau, die dringliche Notwendigkeit zu vermeiden, dass die Welt einer Katastrophe entgegenschreitet und die Begeisterung aller Stimmen der Welt, die uns alle gleich machen, aber mit verschiedenen Akzenten. Andere Foren an anderen Orten der Welt werden diese Arbeit in der Zukunft fortsetzen. Es wird immer notwendig sein zu sagen, dass alles in Barcelona begann. Und die verschiedenen Stimmen werden die gleiche Illusion ausdrücken, die Welt zu bewegen. Die Welt, in der wir alle Platz haben sollten und die kleine Welt jedes Individuums.

Exposiciones del Forum:
Guerreros de Xi'an; Ciudades, esquinas; Habitar el mundo; Voces

Exhibitions of the Forum:
Warriors of Xi'an; Cities, corners; Inhabiting the world; Voices

Ausstellungen während des Forums.
Die Krieger von Xi'an; Städte, Winkel; die Welt bewohnen; Stimmen

El gigante de los siete mares →

The giant of the seven seas →

Der Gigant des sieben Ozeane →

Ceremonia de clausura del Fòrum 2004   Closing ceremony of the Forum 2004   Schlussveranstaltung des Forums 2004

Durante el Forum seis monjes budistas crearon en la Rambla el Mandala más grande del mundo. Se tardaron semanas en colocar los millones de granos de arena coloreada que lo formaban, pero una vez acabado fue arrojado al mar en un ritual que nos recuerda el carácter transitorio de nuestra existencia.

During the Forum six Buddhist monks set up the biggest Mandala in the world in the Rambla. It took weeks to place the millions of grains of coloured sand that makes them, but once completed it was thrown into the sea in a ritual that reminds us of the fleeting nature of our existence.

Während des Forums schufen sechs buddhistische Mönche auf der Rambla das größte Mandala der Welt. Sie brauchten Wochen, um die Millionen bunter Sandkörner, die es formten, anzubringen. Als es fertig war, wurde in einem rituellen Akt ins Meer geworfen, der uns daran erinnert, dass unsere Existenz nur vorübergehend ist.

Camp Nou, estadi del FC Barcelona

The bottom of the Mediterranean, in the crucible where each dawn the solar and incandescent disc that rises up from the sea is forged, must be the inexhaustible mine of fire that presides over all the festivals of the Barcelona people. Bonfires for the solstice of Saint John, devils, gunpowder, sparks, smoke and running. The domination of fire is a way of confronting one of the four elements and defeating it. In these festivals

the condensation of what is called Catalan *rauxa* [rage] is a long way from the so-called *seny* [good sense] of the national dance which is the Sardana. In fire is purification but there is also a strange flirting with the hidden forces of the earth. The festival bells ring out in the churches and on the streets the gunpowder explodes. In who would we trust our souls?

En el fondo del Mediterráneo, en el crisol donde cada madrugada se forja el disco solar e incandescente que surge del mar, debe estar la inagotable mina de fuego que preside todas las fiestas de los barceloneses. Hogueras para el solsticio de verano (San Juan), diablos, pólvora, chispas, humo y carreras. El dominio del fuego es una forma de enfrentarse a uno de los cuatro elementos y vencerlo.

La condensación de la llamada *rauxa* catalana [arrebato] se encuentra en estas fiestas muy alejada del llamado *seny* [cordura] de la danza nacional que es la sardana. En el fuego está la purificación pero también existe un extraño coqueteo con las fuerzas ocultas de la tierra. Suenan las campanas de fiesta en las iglesias y por las calles explota la pólvora. ¿A quién confiaremos nuestras almas?

Correfoc de les festes de la Mercè

Auf dem Grunde des Mittelmeers, in dem Schmelztiegel, in dem in jeder Morgendämmerung die glühende Sonnenscheibe geschmiedet wird, die sich aus dem Meer erhebt, muss sich die unerschöpfliche Mine des Feuers befinden, die alle Feste der Barcelonesen beherrscht. Feuer für die Sommersonnenwende, das Fest des Heiligen Johannes, Teufel, Pulver, Funken, Rauch und Rennen. Die Beherrschung des Feuers ist eine Art is eine Art und Weise, sich einem der vier Elemente entgegenzustellen und

es zu besiegen. Die Essenz der sogenannten katalanischen *rauxa* (katalanische Verzückung) findet sich in den Festen, die von der sogenannten *seny* (Vernunft) des Nationaltanzes Sardana am weitesten entfernt sind. Im Feuer liegt die Läuterung, aber da ist auch das seltsame Kokettieren mit den verborgenden Kräften der Erde. Die Festglocken läuten in den Kirchen und auf den Straßen explodiert das Pulver. Wem sollen wir unsere Seelen anvertrauen?

Conscientes de la pequeñez de las cosas humanas, Barcelona cuenta con una representación acartonada de sus personajes más venerables. Por una vez los Reyes no harán aquello que su autoridad les permite, sino aquello que el pueblo, oculto bajo sus mantos de tramoya, les hará hacer. A veces la pequeñez se convertirá también en grandeza, cuando hombres, mujeres y niños se apoyen unos sobre otros para vencer el miedo y la gravedad a fuerza de brazos y espaldas. Tal vez no lleguen tan alto como para mordisquear la luna, pero se sentirán orgullosos de haber llevado a los más pequeños hasta nuevos horizontes. En los *castells* participa todo el mundo y es una manifestación que siempre va a favor y nunca contra nadie.

Aware of the smallness of all things human, Barcelona has a cardboard-like representation of its most venerable personages. For once the Kings will not do what their authority allows them to but what the people, hidden beneath their capes of stage machinery, make them do. Sometimes smallness will also become grandeur, when men, women and children support each other to defeat fear and defy gravity with the strength of arms and backs. Perhaps they do not get high enough to take a bite out the moon, but they will feel proud of having raised the youngest ones towards new horizons. Everyone takes part of the *castells* and they are a demonstration that is always in favour and never against anyone.

Mulassa / Gegants de Barcelona / Tarasca

In Barcelona, wo man sich darüber bewusst ist, wie klein die menschlichen Dinge sind, gibt es eine Repräsentation der ehrwürdigsten Persönlichkeiten aus Karton. Hier tun die Könige einmal nicht das, was ihnen ihre Autorität erlaubt, sondern das, was das Volk, das sich unter ihren falschen Umhängen versteckt, sie tun macht. Und manchmal wird aus klein groß, wenn die Männer, Frauen und Kinder sich gegenseitig stützen, um die Angst und die Schwerkraft mit der Kraft ihrer Arme und Schultern zu besiegen. Vielleicht kommen sie nicht so hoch, dass sie den Mond vom Himmel holen können, aber sie sind stolz darauf, die Kleinsten unter ihnen zu neuen Horizonten gehoben zu haben. Bei den Castells machen alle mit. Sie sind eine Kundgebung, die immer zugunsten aller und niemals gegen jemanden ist.

Festes de la Mercè

Festes de la Mercè

Y la fiesta continúa en los barrios. La satisfacción de ser barcelonés se complementa con el orgullo de la calle más engalanada. Vuelven a sacarse las sillas a las aceras y las plazas son los ateneos que siempre fueron antes de que la televisión recluyera a los vecinos en su casa. A veces también es necesario echarse a la calle para protestar contra un mundo injusto y para sentirse uno entre muchos. Ésta es también la Barcelona que puede prescindir de la arquitectura y del urbanismo, porque las ciudades son, ante todo, gente. El paisaje humano, en estos días de emergencia, es una ola de brazos que buscan brazos y un mismo paso que camina y que contagia a los recién llegados. La fiesta, en Barcelona, no suele tener protagonistas únicos. Al fin y al cabo lo importante de todas las sumas es el resultado.

And the festival goes on in the districts. The satisfaction of being from Barcelona is complemented with the pride of the most adorned street. The chairs come out onto the pavement again and the squares are the cultural centres they always were before television imprisoned people in their homes. It is also sometimes necessary to go onto the street to protest against an unjust world and to feel that you are one among many. This is also the Barcelona that can do without the architecture and urban planning, because cities are, above all else, people. The human landscape, in these days of emergency, is a wave of arms that seek out other arms and one single step that walks and spreads to the most recently arrived. The festival, in Barcelona, does not usually have single stars. At the end of the day the most important thing of all is the result.

Und das Fest geht in den Stadtvierteln weiter. Der Stolz darauf, aus Barcelona zu sein, wird durch den Stolz auf die am schönsten geschmückte Straße noch vergrößert. Die Stühle werden wieder auf die Bürgersteige gestellt und die Plätze werden zu den Kulturvereinen, die sie einst waren, bevor das Fernsehen die Menschen in ihre Häuser eingeschlossen hat. Manchmal muss man auch auf die Straße, um gegen eine ungerechte Welt zu protestieren oder sich wie einer unter vielen zu fühlen. Das ist auch Barcelona. Ein Barcelona, das auf die Architektur und den Städtebau verzichten kann, denn die Städte sind vor allem die Menschen, die in ihnen wohnen. Die menschliche Landschaft ist in diesen Tagen der Ausnahmesituation ein Meer aus Armen, die Arme suchen, und ein gleicher Schritt, der fortschreitet und die neuen Ankömmlinge mit sich reißt. Auf den Festen in Barcelona gibt' es keine Hauptdarsteller. Das wichtigste an allen Summen ist schließlich das Ergebnis.

Carnavalona: rua de Carlinhos Brown celebrada en el
Passeig de Gràcia durante el Forum →

Carnavalona: street carnival led by Carlinhos Brown held
in Passeig de Gràcia during the Forum →

Carnavalona: Straßenkarnaval mit Carlinhos Brown, der
am Passeig de Gràcia während des Forums stattfand →

edición / published by / herausgeber
Ajuntament de Barcelona
Triangle Postals S.L.

Consejo de Ediciones y Publicaciones
del Ajuntament de Barcelona
Ferran Mascarell, Enric Casas,
Joaquim Balsera, Alfredo Jorge Juan,
Màrius Rubert, Joan Conde,
Glòria Figuerola, Joan A.Dalmau,
Oriol Balaguer, Josep M. Lucchetti,
José Pérez Freijo

Director de Comunicación y Calidad
Enric Casas

Jefe del Departamento de Imagen
y Producción Editorial
José Pérez Freijo

Ajuntament de Barcelona
Passeig de la Zona Franca, 60
08038 Barcelona
tel. 93 402 31 31
www.bcn.es/publicacions

Triangle Postals S.L.
Carrer Pere Tudurí, 8
07710 Sant Lluis.Menorca
tel. 93 218 77 37
www.trianglepostals.com

dirección / editor / leitung
Ricard Pla, Pere Vivas

fotografías / photography / fotografien
© Pere Vivas
© Ricard Pla / Pere Vivas (210, 212, 213, 214, 215, 252, 253, 267, 281, 282, 284, 285, 288, 289, 292, 294, 295, 296, 297, 389, 422)
© Ricard Pla (40, 100, 132, 134, 135, 141, 154, 170, 191, 202, 224, 304, 347, 350, 390, 394, 395, 398, 399, 416, 417)
© Juanjo Puente (51, 69, 75)
© Juanjo Puente / Pere Vivas (50, 192, 299)
© Ramon Pla (349, 371)
© Antonio Funes (361, 401)
© Jordi Puig / Pere Vivas (54, 55, 180)
© Joan Colomer / Pere Vivas (126)
© Lídia Font / Pere Vivas (243)
© Casa Batlló / Pere Vivas
(228, 270, 272, 273, 287, 290, 293)
© Fundació Caixa Catalunya / Pere Vivas
(274, 277, 280, 286, 287)
© Successió Miró, 2005 / Pere Vivas (335, 336)

texto / text / text
© Joan Barril

traducción / translation / übersetzung
Antonio Funes, Steve Cedar, Susanne Engler

diseño / design / gestaltung
Martí Abril

maquetación / layout / layout
Mercè Camerino, Antonio Funes

coordinación / coordination / koordination
Paz Marrodán, Juan Villena

impresión / printed by / druck
Nivell Gràfic

ISBN: 84-8478-160-7
Dipòsit Legal: B-18.892-2005

agradecimientos / acknowledgements / wir bedanken uns bei
Ateneu Barcelonès
Autoritat Portuària de Barcelona
Barcelona de Serveis Municipals S.A.
Basílica de Santa Maria del Mar de Barcelona
Biblioteca de Catalunya
CaixaForum Centre Social i Cultural
de la Fundació «la Caixa». BCN
CosmoCaixa Barcelona Nou Museu
de la Ciència de «la Caixa»
Casa Amatller
Casa Asia
Casa Batlló
Casa Bellesguard
Casa Sayrach
Casa Vicens
Casa-Museu Gaudí
CCCB Centre de Cultura Contemporània de Barcelona
Clínica Plató, Fundació Privada
Colegio Bienaventurada Virgen María
Col·legi de les Teresianes
Escola de Mitjans Audiovisuals
FC Barcelona
Fundació Antoni Tàpies
Fundació Fòrum Universal de les Cultures
Fundació Gran Teatre del Liceu
Fundació Joan Miró
Fundació Mies Van der Rohe
Hospital de la Santa Creu i Sant Pau
Hotel Princess Barcelona
Husa Internacional Hotel Barcelona
Institut d'Estudis Catalans
Institut Municipal de Mercats de Barcelona
Junta Constructora del Temple Expiatori de la Sagrada Família
L'Auditori
L'Aquàrium de Barcelona
MACBA Museu d'Art Contemporani de Barcelona
MNAC Museu Nacional d'Art de Catalunya
MHCB Museu d'Història de la Ciutat de Barcelona
Museu Marítim
Museu Picasso
Palau de la Música Catalana
Parc d'Atraccions Tibidabo
Parròquia de Santa Maria del Pi
Parròquia dels Sants Just i Pastor
Restaurant 4Gats
Restaurant Fonda España
Teatre Grec
Teatre Lliure
Teatre Mercat de les Flors
TNC Teatre Nacional de Catalunya
Telefèric Aeri del Port
World Trade Center

Aina Pla, Cala del Vermut, Joan Barjau, Joan Colomer,
José Miguel Díez Bueno, Laia Palet, Pere Vivas Font,
Rafael Vargas, Robert Justamante, Toni Giralt